Série Co

MARIANNE CLARK

Sous l'arbre
de l'éternité

Les livres que votre cœur attend

Titre original : *Apache tears* (33)
© 1983, Marianne Willman
Originally published by
THE NEW AMERICAN LIBRARY,
New York

Traduction française de : Marie Robert
© 1985, Éditions J'ai Lu
27, rue Cassette, 75006 Paris

Chapitre 1

AVEC UNE NONCHALANTE ÉLÉGANCE, PARFAITEMENT à son aise dans le décor de glaces et d'or de sa galerie d'art de Detroit, Mabel Walker s'approcha de la vedette du jour, la jeune orfèvre Catriona Frazer.

— Vous avez vu qui est là ? Quel honneur ! C'est la consécration, ma chère !

Catriona se retourna et resta clouée de surprise en apercevant l'éminent personnage qui venait d'entrer dans la pièce.

Adam Hawk ! Le célèbre orfèvre navajo dont la renommée avait traversé le monde et dont les bijoux étaient exposés dans les plus beaux musées ! A sa première exposition !

Comme sa photo paraissait souvent dans les magazines, elle le reconnut immédiatement. Il était aussi grand, aussi basané, avait les cheveux aussi noirs que dans son souvenir ; seuls ses yeux, bleus comme un ciel de printemps californien, la surprirent.

— Quel étrange regard ! confia-t-elle à Mabel.

— Sa mère est à demi irlandaise, à demi indienne. Beatrice Longshadow, une grande cantatrice. Je l'ai entendue une fois au Metropolitan de New York. Elle s'est retirée très jeune et du jour au lendemain. Je n'ai jamais su pourquoi.

Catriona ne parvenait pas à détacher les yeux de cet homme qui examinait plusieurs de ses bracelets avec une indéniable attention.

— Qu'en pensez-vous, Mabel ? demanda-t-elle en replaçant nerveusement une mèche rousse échappée de son impeccable chignon. Vous croyez qu'il aime ce que je fais ?

— Comment voulez-vous que je le sache ? Son visage est aussi impassible qu'un lac gelé !

Un peu confuse de le fixer avec tant d'insistance, Catriona se détourna et suivit ses faits et gestes dans l'un des innombrables miroirs de la galerie.

Avec son costume en lin noir un peu froissé, sa chemise ouverte sur le devant, il aurait dû paraître déplacé dans ce lieu tout imprégné de la féminité et du raffinement mondain de Mabel. Or, il n'en était rien. Depuis qu'il y était entré, on ne voyait plus que lui et son magnétisme irradiait dans toute la salle.

— Si seulement il souriait, fronçait les

sourcils, ou n'importe quoi... murmura Catriona.

L'opinion d'Adam Hawk lui importait plus que toute autre. Depuis des années elle admirait son travail et avait été grandement influencée par son style. Comprendrait-il la nature de son travail ? L'apprécierait-il ?

Depuis six mois qu'elle avait rompu avec Lawrence, la jeune femme avait désespérément tenté de reprendre confiance en elle, de retrouver sa vraie personnalité en se consacrant à son art. Si ses créations ne remportaient aucun succès, que resterait-il d'elle ? Tout son avenir dépendait des retombées de cette exposition !

— Il vient de notre côté, fit remarquer Mabel. Allez donc le saluer !

En cet instant, Adam Hawk était en train d'examiner un collier de petites feuilles d'argent incrustées de veines d'or, l'une des créations préférées de la jeune artiste.

Et pour la première fois, un vague soupir lui échappa. Satisfaction ou déplaisir ?

Catriona se sentait de plus en plus mal à l'aise. Adam Hawk n'avait pas accordé la moindre attention à un étalage de bracelets où se mêlaient l'or, l'argent et des pierres semi-précieuses.

Mais il s'emparait de l'une des pièces et la tournait en tous sens de ses longs doigts d'artiste incroyablement déliés. Puis, il prit un bracelet qu'il observa longuement.

Il reposa le bijou, releva la tête et, enfin, remarqua la jeune femme. Un sourire se peignit sur ses lèvres et pour la première fois depuis qu'il était entré, il parut satisfait du spectacle qui s'offrait à lui. Il faut dire qu'avec son visage au teint de lait, ses yeux verts et sa bouche sensuelle, Catriona était vraiment charmante.

— Que pensez-vous de ce bracelet ? demanda-t-elle après de longues secondes d'hésitation.

— Assez joli ! répondit-il distraitement.

A croire qu'il parlait d'un bijou fantaisie ! Une gifle n'aurait pas été plus blessante !

Comment osait-il traiter son art, son talent, son habileté et sa compétence technique avec une telle légèreté ? Pour qui se prenait-il donc ? Pour l'arbitre suprême ? Pour le seul détenteur du droit au titre d'expert ? Ses origines indiennes le rendaient-elles supérieur à une vulgaire citoyenne de Detroit ?

Remarquant le regard enflammé et furibond de Catriona, Adam Hawk eut un air contrit ; il venait de comprendre à qui il avait affaire !

— Catriona Frazer !

— Oui. Mon travail ne paraît guère vous séduire, monsieur Hawk !

Il la dévisagea un instant puis reporta son attention sur le bracelet qu'il tenait à la main.

— C'est vraiment joli, répéta-t-il avec une certaine tristesse et peut-être une nuance de regret ou de déception dans la voix.

— En vérité, il est difficile d'interpréter favorablement cet insignifiant qualificatif.

Cat avait toutes les peines du monde à maîtriser la rage qui lui empourprait le visage et faisait d'incroyables efforts pour ne pas céder à l'envie d'insulter cet orfèvre qui se permettait de ravaler son art au rang d'aimable passe-temps.

— J'ai mis toute mon âme et tout mon cœur dans mes créations, monsieur Hawk ! Je considère qu'elles méritent davantage que ce piètre compliment !

Une nouvelle fois, ses fascinants yeux d'azur la scrutèrent longuement et un étrange petit sourire affleura à ses lèvres.

— Votre âme et votre cœur, prétendez-vous ? Je ne crois pas. En ce moment j'ai devant moi une Catriona Frazer dévorée de passion. Mais dans ces bijoux, je n'en vois pas la moindre.

Une telle arrogance chez un artiste dont elle admirait tant le talent ! C'était franchement insupportable ! Il ne la félicitait même pas pour son indéniable habileté manuelle !

Involontairement, elle agita fiévreusement la main devant elle.

Le regard brusquement brillant d'un éclat inattendu, Adam Hawk s'empara des doigts

9

nerveux de la jeune femme et désigna son anneau d'argent et de cuivre.

A ce contact, Catriona eut un tressaillement furtif.

— C'est vous qui avez dessiné ce bijou ? demanda-t-il sans se rendre compte de son émoi.

— Oui, répondit-elle fièrement. Je l'ai dessiné et exécuté.

— Quand ?

— Il y a un mois, environ.

Après un coup de téléphone particulièrement pénible de Lawrence, aurait-elle pu ajouter.

Adam caressa l'anneau et son visage s'éclaira d'un sourire.

— Là-dedans, je vois votre âme et votre cœur, comme vous dites.

Il n'y avait pas à s'y tromper : la louange était absolument sincère. Cette fois, Catriona rougit de plaisir.

— Dans cette bague, reprit Adam, il y a de l'amour, du doute, de la passion et... de la souffrance...

Lisait-il réellement tout cela dans ce petit anneau ou jouissait-il d'un surprenant don de double vue ? Stupéfaite, Cat ne put réprimer un léger tremblement.

— Je me trompe ? insista-t-il.

— Non, admit Cat dans un murmure.

L'acuité de sa perception la troublait, mais

10

probablement moins que le frôlement de ces doigts qui continuaient à caresser l'anneau.

Depuis sa douloureuse rupture avec Lawrence, Cat s'était pourtant bien juré de ne plus jamais se laisser émouvoir par un homme. Et voilà qu'elle le laissait porter la main à ses lèvres et y déposer un délicat baiser, sans pouvoir s'empêcher de considérer ce geste comme un hommage infiniment agréable à recevoir. En quelques minutes, cet homme avait su la bouleverser au-delà de toute expression, son charme agissait sur elle de manière irrémédiable.

Et pourtant, elle ne sentait nullement prête à affronter une telle situation. Apeurée par ses réactions inattendues, elle regarda autour d'elle pour y chercher le secours d'un tiers qui viendrait lui parler et lui permettrait d'abandonner son interlocuteur en respectant les usages.

Mabel, Angelica Smith — l'amie qui partageait l'appartement de Cat —, la plupart des visiteurs avaient les yeux posés sur eux, les observant même d'un air plutôt envieux, mais sans du tout paraître disposés à venir en aide à la jeune orfèvre.

Elle n'avait d'autre solution que de poursuivre son entretien avec Adam...

— Et que dites-vous de cette pièce, monsieur Hawk? demanda-t-elle en désignant une bague d'homme où se mêlaient savamment de minuscules perles d'or et de fins éclats de lapis-lazuli.

Il prit le bijou, l'examina avec un soin méticuleux, se le passa un instant au doigt avant de le remettre en place.

— Un bon dessin, du beau travail. Beaucoup d'habileté et de délicatesse, mais rien de plus.

— Cette bague m'a valu un second prix et deux mille dollars de récompense à la dernière exposition des métiers d'art de notre région, répliqua Cat, qui sentait revenir sa colère. Vous montrez-vous impitoyable par jeu, monsieur Hawk ? S'agit-il pour vous de réduire à néant les efforts d'une pauvre provinciale qui a la prétention d'exercer le même métier que vous ? J'adore vos créations et je n'aurais jamais imaginé que le responsable de ces merveilles fût un être pétri d'orgueil et de méchanceté.

Une heure plus tôt, Cat aurait donné n'importe quoi pour avoir la chance de s'entretenir quelques minutes avec Adam Hawk, le plus grand orfèvre de son temps. Envahie maintenant par une vague d'amère déception, elle ne rêvait plus que de le voir disparaître.

En essayant de se composer un visage impassible, elle lui tourna le dos et se dirigea vers le bureau où travaillait Mabel. Mais, de manière inattendue, Adam Hawk la suivit et entra dans la pièce avec elle.

12

Il repoussa tranquillement la porte et attendit que Catriona veuille bien tenir compte de sa présence. Comme elle tardait à le faire, il posa les mains sur ses épaules et l'obligea à le regarder.

— Que me voulez-vous donc, monsieur Hawk ?

— J'aimerais savoir si vous vous emportez toujours aussi facilement.

Décontenancée par sa réplique, elle leva les mains en signe d'impuissance. De nouveau, il s'en empara aussitôt.

— Laissez-moi ! protesta-t-elle en se débattant.

— Seulement si vous me promettez de m'écouter sagement. J'ai à vous parler.

La jeune femme releva la tête et croisa fièrement son regard. Mais les yeux d'Adam étaient trop bleus, trop fascinants, cet homme était bien trop séduisant pour qu'elle continue de le défier ainsi.

— Me promettez-vous de m'écouter ? insista-t-il.

— Oui.

Elle aurait acquiescé à n'importe laquelle de ses prières, désireuse uniquement de s'éloigner un peu de cet être si profondément troublant.

— Je vous écoute, lança-t-elle sèchement. Faites vite, j'ai envie de rejoindre les visiteurs de la galerie. Ils seront sûrement moins prétentieux et arrogants que vous l'êtes.

Après cet éclat, elle s'attendait qu'il manifeste une certaine mauvaise humeur. Aussi fut-elle surprise de l'entendre éclater d'un rire franc et contagieux.

— Ne faites pas cette tête, plaisanta Adam. Une fois par jour au moins, on me dit que je suis grossier et insupportable. J'y suis tellement habitué que je ne m'en offusque plus.

Cat ne savait vraiment plus comment interpréter son attitude. L'orfèvre était-il un grossier personnage ou l'homme chaleureux et amical qu'elle avait imaginé à travers ses œuvres ?

— Je ne voulais pas être désagréable, reprit Adam. Je ne suis pas venu ici dans ce but. Mais vous m'avez demandé mon avis, je vous l'ai donné. Peut-être un peu brutalement, je le reconnais. Vous réalisez du bon travail, soit. Infiniment décevant, cependant, par rapport à vos possibilités. Vous avez perdu cet étrange et merveilleux regard que vous portiez sur le monde et qui faisait de vos créations des œuvres si originales.

— Je ne crois pas. J'ai beaucoup appris depuis un an. Ma technique s'est améliorée, contrairement à ce que vous dites.

Au lieu de répondre, il sortit de sa poche un petit paquet enveloppé dans un morceau de soie rouge qu'il déplia précautionneusement. Apparut un miroir de poche octogonal, serti dans une plaque d'argent sur laquelle était gravé un narcisse exécuté dans le style des années 30.

Cat l'avait vendu trois ans plus tôt à Toronto, et elle demanda d'une voix médusée :

— Comment cet objet est-il arrivé entre vos mains ?

— Quand j'ai examiné cette fleur, j'ai su que son auteur était doté d'un charmant sens de l'humour, répondit-il allusivement.

En fabriquant ce bijou, Cat avait voulu se moquer gentiment de la vieille légende grecque de Narcisse. Avec la certitude qu'elle ne serait pas clairement comprise.

D'avoir été longtemps dans la poche d'Adam, le miroir était tiède, et cette chaleur troubla presque autant Cat que les mains d'Adam posées sur son bras.

— En d'autres termes, prononça-t-elle d'une voix mal assurée, vous estimez que mon travail de ces derniers mois n'est plus aussi bon que celui d'avant ?

— Que s'est-il passé ? interrogea-t-il avec une étonnante sollicitude. D'abord, j'ai pensé que le succès avait émoussé votre sensibilité, que vous ne travailliez plus que pour gagner de l'argent car votre art ne vous intéressait plus. J'avais tort. Alors, que vous est-il arrivé ?

Il paraissait si franchement désireux de

connaître la vérité que Cat fut tentée de poser la tête au creux de son épaule et d'avouer dans quelle triste solitude elle vivait depuis des mois.

Mais si elle se laissait aller aux confidences, comment interpréterait-il ce besoin d'épanchement ? Il était insensé de songer à avouer ses problèmes à un inconnu.

Soucieux de ne pas se montrer indiscret en répétant sa question, Adam proposa :

— La galerie va bientôt fermer. Nous pourrions aller dîner ensemble et parler un peu de votre carrière.

— Je n'ai rien à en dire !

— Je pourrais vous aider, insista Adam.

— Je n'ai nul besoin de votre aide. Ni de votre condescendance. Laissez-moi seule, je vous prie.

Il ne lui restait en effet qu'une solution : s'isoler avec sa colère, son chagrin et ses larmes !

Posant bien en évidence une carte de visite sur le bureau de Mabel, Adam poursuivit :

— Nous pourrions nous rendre de grands services, vous savez. J'étais venu pour vous proposer du travail. Dans ces conditions, vous n'auriez plus besoin de vous enfermer tous les jours à l'Institut d'art de Detroit et pourriez vous consacrer entièrement à votre création. Cat, en dépit des réserves que j'ai émises ce soir, je suis convaincu que vous êtes capable de parvenir à d'excellents résultats.

— Vous êtes ridicule, voyons ! Me critiquer aussi durement pour ensuite m'offrir une situation. Cela n'a pas de sens !

— Vous avez ma carte. Je serai à l'hôtel Westin jusqu'à vendredi. Si vous changez d'avis, appelez-moi.

Là-dessus, il quitta tranquillement la pièce.

Changer d'avis ? Jamais !

Telle était en cette minute la certitude de Cat. Mais quelques instants plus tard, alors qu'elle essuyait les larmes qui ruisselaient sur ses joues, le démon de la curiosité la taraudait déjà.

Quelle situation voulait-il lui proposer ?

A quoi bon se poser la question ? Jamais elle ne pourrait s'entendre avec quelqu'un qui n'aimait pas ses bijoux.

D'ailleurs, elle n'avait pas rompu toute attache avec Lawrence ni recouvré son indépendance pour retomber aussitôt sous la coupe d'un autre !

Fût-il le meilleur orfèvre des Etats-Unis !

Malgré la fermeté de sa décision, elle glissa la carte d'Adam Hawk dans son sac et sortit du bureau.

Chapitre 2

CATRIONA AVAIT ESPÉRÉ SALUER BRIÈVEMENT Mabel et s'esquiver sans autre forme de procès.

Mais le sort en avait décidé autrement.

— Kitty! s'écria-t-on derrière elle avec un accent purement britannique qu'elle reconnut immédiatement.

— Lawrence! gémit-elle en se retournant. Que faites-vous ici? Je vous croyais à Londres.

Deux bras l'enserrèrent tendrement et un parfum de tabac infiniment trop familier lui monta aux narines.

— Je suis venu voir votre première exposition, répondit-il en la dévisageant avec insistance. Maintenant que vous avez atteint votre but, nous pourrons reprendre nos relations là où nous les avions interrompues, n'est-ce pas?

Cat eut l'impression que Lawrence doutait un peu de la réponse qu'elle s'apprêtait à lui faire. De la part de cet homme si sûr de son charme, cette inquiétude était bien inattendue.

— Pourquoi ? Mara vous aurait-elle de nouveau abandonné ?

Aussitôt prononcées, Cat regretta ses paroles. A quoi rimait cette réaction puérile dont Lawrence parut extrêmement satisfait ?

— Je vois que j'ai toujours le pouvoir de vous rendre jalouse, fit-il remarquer avec un sourire exaspérant de suffisance.

— Non, je ne suis pas le moins du monde jalouse, affirma-t-elle en refusant de se laisser prendre par la taille. Je suis seulement horriblement indiscrète. Pardonnez-moi.

— Oh ! Ma petite chatte aux griffes acérées aurait-elle gagné en sagesse ?

— Suffisamment, en tout cas, pour m'en tenir à cette décision que nous avons prise en commun : ne plus nous voir. Il est un peu tôt pour que nous puissions devenir amis, et trop tard pour quoi que ce soit d'autre.

— Dommage !

Malgré cette apparente résignation, il s'inclina et voulut embrasser les cheveux de Cat. Mais elle s'écarta et le fusilla du regard.

Désarçonné, il la dévisagea avec l'air d'un enfant à qui l'on vient de retirer son jouet favori. Puis un charmant sourire illumina son visage. Un sourire auquel Cat avait succombé d'innombrables fois. Mais maintenant qu'elle ne voyait plus en Lawrence un dieu paré de toutes les perfections, elle résista facilement.

— Je remarque que vous, au moins, êtes toujours le même : vous n'admettez pas que l'on puisse se dérober à votre charme. Quel être capricieux !

— Je l'avoue. Raison de plus pour faire un dernier caprice et vous emmener dîner.

Il joua distraitement avec un collier d'or et de perles baroques, sans nul doute persuadé que Cat allait accepter son invitation.

— Je connais un endroit parfait pour célébrer votre succès, ajouta-t-il.

— Où cela ? demanda Cat sans réfléchir.

Il s'exprimait de manière si séduisante qu'il était difficile de refuser de lui parler.

— Philadelphie !

— Lawrence ! s'indigna Cat en riant malgré elle. Pourquoi, mon Dieu, aller dîner aussi loin ?

— Pour les sous-marins.

— Ces énormes sandwiches pour Gargantuas en mal de steak frit et d'oignons. Absolument divin ! Ma dernière folie !

Cat rit de bon cœur. Personne ne ressemblait à Lawrence Leighton ! Un vrai héros de roman au caractère versatile et à l'imagination sans cesse en mouvement. Il pouvait passer de la plus profonde dépression à la plus extravagante gaieté en quelques minutes. Un homme fascinant, vraiment, et stupéfiant.

Il s'appropriait les êtres jusqu'à les rendre à peu près fous. Et quand ils le quittaient pour ne pas perdre totalement leur équilibre, il s'étonnait et se désolait.

Même en cette minute, alors qu'elle avait réellement coupé les ponts avec lui, Cat devait avouer qu'elle le trouvait charmant. Prudente, cependant, elle s'éloigna quelque peu.

La séparation, pour indispensable qu'elle fût, avait été suffisamment douloureuse pour qu'elle ne prenne aucun risque. Mais de toute évidence, Lawrence n'avait pas compris pourquoi elle l'avait fui. Et le plus naturellement du monde, il venait la rechercher.

— Vous êtes prête ? demanda-t-il presque impatiemment.

— Je ne peux pas vous accompagner, répondit Cat en retrouvant d'un coup son sérieux.

Elle ne fournit aucune explication. C'était totalement inutile.

— Merci quand même, ajouta-t-elle avec un sourire.

— J'ai loué un avion !

— Non, Lawrence. Bonsoir.

Elle l'embrassa gentiment sur la joue, profita de ce que l'un de ses admirateurs venait le féliciter pour son dernier roman, et le quitta sans hésiter.

A cet instant, elle croisa le regard d'Adam

Hawk, qui, contrairement à ce qu'elle avait imaginé, était resté dans la galerie. Il semblait l'attendre, lui aussi.

L'ignorant avec superbe, elle traversa dignement la salle. Pourquoi ne la laissait-il pas en paix ? se demanda-t-elle en marchant jusqu'au parking. L'air était inhabituellement léger, la température clémente et, en cette fin de juin, il ne ferait pas nuit avant au moins une bonne heure. Dieu, qu'il serait délicieux de rentrer et de se détendre !

Mais, hélas, quand elle eut refermé sur elle la porte de la grande maison de brique située dans le quartier le plus cossu de la ville et qu'Angelica, son amie, avait héritée de ses parents, Cat s'aperçut qu'elle aurait bien du mal à trouver le calme. Ses rencontres avec Lawrence et Adam Hawk continuaient de produire sur elle leur effet perturbateur.

Même une douche et un verre de vin blanc s'avérèrent impuissants à l'apaiser.

Une fois au lit, elle prit un livre, fut incapable de se concentrer et contempla interminablement les ombres mouvantes d'un lilas qui poussait devant sa fenêtre.

Quand enfin, longtemps après minuit, la jeune femme trouva le sommeil, une image obsédante vint hanter ses rêves : Adam Hawk !

Il était là, auprès d'elle, la dominant de toute sa hauteur, la fixant de ce regard bleu qui semblait pénétrer jusqu'au plus profond de son cœur, un vague sourire aux coins des lèvres... Il se rapprochait d'elle et lui caressait doucement la main.

Une sirène d'ambulance la réveilla et, toujours hantée par le souvenir d'Adam, Cat mit des heures à se rendormir. De quel étrange pouvoir jouissait-il pour s'immiscer ainsi dans ses pensées les plus secrètes ? Elle revoyait sa silhouette, ses épaules puissantes et athlétiques... des épaules contre lesquelles il serait bon de se blottir en attendant qu'il l'embrasse...

Finalement elle se rendormit en rêvant qu'il l'enlaçait tendrement.

Le soleil inondait déjà sa chambre, une délicieuse odeur de café flottait dans l'air, lorsque Angelica vint la secouer.

— Allons, paresseuse, réveille-toi. Tu dois être à la galerie dans une heure.

— Comment peux-tu être prête, impeccablement coiffée et d'aussi bonne humeur, dès l'aube ? grommela Cat en ouvrant difficilement les yeux.

— En voilà une manière de m'accueillir alors que je t'apporte du café et tous les journaux où l'on parle de ton exposition !

Se réveillant tout à fait, Cat s'empara des quotidiens et se mit à chercher les pages consacrées aux arts.

« Force et beauté dans les œuvres d'une artiste locale », lut-elle, le sourire aux lèvres.

Au-dessous du titre s'étalait une grande photo de son collier aux feuilles d'or veinées d'argent.

« Retenez le nom de Catriona Frazer, disait le critique. D'ailleurs, après avoir vu son travail, vous ne l'oublierez plus jamais... »

Cat parcourut rapidement plusieurs papiers : « unique », « rhapsodie d'or, d'argent et de pierres », tels étaient les qualificatifs et descriptions qui revenaient le plus souvent. Tout le monde était d'accord : c'était un énorme succès !

Voilà pour Adam Hawk et ses commentaires peu flatteurs ! Que ne pouvait-elle assister à sa déconfiture au moment où il dépouillerait la presse !

— Pourquoi fronces-tu les sourcils d'un air aussi mauvais ? s'étonna Angelica. Tous ces articles sont excellents.

— Adam Hawk ! Il n'aime pas ce que je fais. Et il me l'a dit sans ambages. Je voudrais prendre ces journaux et les lui envoyer sur-le-champ.

— C'est bizarre. Hier soir, à la galerie, il ne tarissait pas d'éloges à ton propos.

En entendant ces mots, Cat se sentit partagée entre la curiosité et la surprise. Sans parler d'un étrange petit pincement au cœur.

— Il te plaît, Angelica ? ne put-elle s'empêcher de demander.

— Bien sûr, voyons ! J'ai joué des paupières et sorti mes sourires les plus enjôleurs, mais toi seule l'intéressais. Il refusait de parler d'autre chose. D'après lui, tu as un immense talent et tu atteindras les plus hauts sommets si tu laisses parler ta vraie sensibilité et tes émotions les plus profondes. Il a même prétendu qu'il voulait t'offrir de travailler avec lui.

— Qu'il aille au diable ! s'écria Cat en sautant au bas de son lit. Pour qui se prend-il ?

Elle se précipita dans la salle de bains, ferma la porte... pour la rouvrir aussitôt.

— Quel genre de situation me propose-t-il ? demanda-t-elle en tentant, vainement, de paraître indifférente.

— Je ne sais pas trop. Il s'agirait que tu consacres ta vie aux bijoux sans pour autant mourir de faim.

Maintenant qu'elle n'était plus en colère, Cat appréciait mieux la portée de cette possibilité et s'en réjouissait. Ne plus passer de précieuses heures pour gagner sa vie à restaurer des objets anciens ! Se consacrer entièrement à ce qu'elle aimait le plus au monde !

Seule ombre au tableau : sa collaboration avec Adam Hawk. N'y perdrait-elle pas sa personnalité encore si faiblement affirmée ? Il avait tant de caractère, de force, d'autorité !

Elle se remit au lit et reprit les journaux, la mine plus renfrognée que jamais.

— Quelle tête, mes amis ! s'exclama Angelica. Si c'est tout l'effet que produit sur toi le succès, j'aimerais autant ne plus te fréquenter quand tu seras célèbre et riche !

Cat sourit et lui jeta son oreiller à la figure. Incontestablement, cet homme arrogant avait fait naître en elle une terrible mauvaise humeur. Par sa faute, elle ne profitait nullement de son triomphe. Il avait tout gâché par des propos dépréciateurs qui, curieusement, comptaient plus à ses yeux que tous les compliments des critiques patentés.

— Angelica, déclara-t-elle pour se faire pardonner, tu sais bien que je suis toujours insupportable, le matin. Le soleil et les oiseaux me donnent envie de me cacher sous les couvertures.

— A ton aise ! Quant à moi, si je ne veux pas perdre mon gagne-pain, j'ai intérêt à me dépêcher. Encore toutes mes félicitations, Cat. Et au revoir.

Son amie partie, Cat se décida enfin à se lever et se préparer. Afin de se remonter un peu le moral, elle choisit une robe de soie bleue qui mettait particulièrement en valeur son teint de lait et ses cheveux de cuivre.

En cherchant son rouge à lèvres dans son sac, elle retrouva la carte d'Adam et le cher petit miroir qu'elle sortit de son mouchoir de soie. Tendrement, comme un visage aimé, elle se mit à le caresser doucement. Mais soudain quelque chose glissa sur sa joue.

Une larme ! Elle ne s'était même pas rendu compte qu'elle pleurait. Bouleversée, elle se jeta sur son lit et donna libre cours aux sanglots qui l'étouffaient depuis des heures. Des mois même.

Il n'y avait pas à chercher loin pour trouver la cause de ce désespoir. Depuis le premier jour où elle avait commencé à préparer son exposition, elle n'avait cessé de craindre que la flamme qui donnait vie à son art ne se soit éteinte. Les commentaires d'Adam résonnaient encore à ses oreilles : « Un bon dessin, du beau travail... mais rien de plus. »

Les critiques s'y étaient laissé prendre mais pas un artiste de l'envergure d'Adam Hawk. Il avait vu au-delà de son habileté technique et avait découvert son secret. Dès lors, il lui était impossible de se duper elle-même.

Puis elle se souvint qu'il prétendait pouvoir l'aider. Etait-il possible que grâce à lui renaissent sa joie et sa vitalité ? Le travail qu'il voulait lui offrir y contribuerait-il ?

Peut-être avait-elle trop hâtivement considéré que ses critiques étaient destinées à la blesser ? D'après Angelica, ses commentaires sur ses bijoux étaient plutôt élogieux. Qu'il soit venu à son exposition, qu'il ait eu le miroir dans sa poche, n'étaient-ce pas des signes encourageants ?

Cat prit une profonde inspiration. Elle n'avait pas le choix. Il fallait se jeter à l'eau.

Serrant son miroir comme un talisman, elle prit l'annuaire et composa le numéro de l'hôtel d'Adam.

Chapitre 3

CAT ARRIVA À LA GALERIE, RÊVEUSE ET UN PEU déçue. Elle n'avait pas réussi à joindre Adam et lui avait seulement laissé un message.

Ayant franchi le pas et pris sa décision, elle était maintenant très pressée de s'entretenir avec lui.

Pour l'instant, peu lui importait le succès de son exposition. L'avenir qui l'attendait lui paraissait bien plus important.

Mabel ne partageait pas la même opinion. Dès qu'elle aperçut la jeune orfèvre, elle se précipita vers elle, tout sourire dehors.

— Vous avez lu les journaux, ma chère ? Fantastique ! Vous devez jubiler. Un journaliste de *News* va venir vous interviewer. Sans le savoir vous avez mis exactement la robe qui convient. Ce bleu vous va à ravir. Et ces cheveux ! Quelle couleur ! J'aimerais tant que les miens leur ressemblent. Mais j'ignore si mon coiffeur saurait parvenir à ce résultat. Rien ne vaut les merveilles de la nature !

31

Si compétente qu'elle fût en matière d'art, Mabel ne paraissait préoccupée que de futilités et de mondanités. Depuis que Cat la connaissait, elle avait appris à supporter ce travers, mais ce matin, elle ne se sentait guère d'humeur à le supporter. Elle alla donc se réfugier dans le bureau, auprès de l'assistante de Mabel, Bonnie Ross, une jeune Noire de toute beauté dont la conversation était infiniment plus calme et reposante.

— Félicitations, Cat ! lança-t-elle en apercevant la jeune femme. Quel effet vous font ces louanges si largement méritées ?

— Pas grand-chose. Je n'ai pas besoin des critiques pour savoir ce que je vaux. Des messages pour moi ?

— Oui, deux.

Le cœur de Cat bondit un peu plus vite. Adam l'avait-il déjà appelée ?

— Une dame extrêmement riche de la région veut acheter le collier photographié dans le *Detroit Free Press*.

— Vrai ? C'est fantastique !

Un instant, Cat oublia Adam et les problèmes qu'il soulevait en elle.

— Moi qui craignais de ne jamais le vendre ! Il est tellement cher ! En même temps, je suis un peu triste de m'en séparer. Je ne sais pas si je trouverai de nouveau le courage d'acheter autant d'or pour réaliser un seul bijou. C'est peut-être mon premier et mon dernier collier de ce genre.

— Le second message est d'Adam Hawk. Il a téléphoné quelques minutes avant votre arrivée. Il viendra vous prendre en début de soirée pour aller dîner.

Cat fronça les sourcils. Elle voulait le voir et lui parler, pas dîner avec lui ! Comme Lawrence, il se croyait autorisé à disposer de la vie des autres sans les consulter !

A cette idée, elle frémit d'appréhension. Puis un sourire éclaira son visage. Impossible ! Personne ne pouvait être aussi tyrannique que Lawrence.

La matinée passa rapidement, grâce, notamment, à la visite du journaliste de *News*. Avec plaisir et surtout beaucoup plus d'assurance qu'elle ne l'aurait supposé, Cat répondit à toutes ses questions sans hésiter.

Mais en dépit de l'affluence des visiteurs attirés par les excellentes critiques, l'après-midi lui parut interminable. L'heure de son rendez-vous avec Adam n'arriverait-elle donc jamais ?

— Je n'imaginais pas du tout que Detroit ressemblait à cela, dit Adam en riant alors qu'ils approchaient du cœur de la ville.

Extrêmement moderne, ce quartier regorgeait d'hôtels luxueux et de bâtiments administratifs de vingt étages dont les vitres miroitaient dans le soleil couchant. Dans le lointain, sur le lac, se profilaient d'impressionnants pétroliers, dont les sirènes emplissaient l'air de leurs vibrations.

— Comment vous représentiez-vous cette ville, alors ?

— Comme une cité fantôme avec des usines partout et d'interminables rangées de docks.

— Les temps ont bien changé depuis cette époque. D'ailleurs, il y a toujours eu un charmant quartier résidentiel tout en brique rose où je vous emmènerai avant votre départ.

Dans le feu de la discussion, Cat ne prêtait guère attention à l'itinéraire qu'ils empruntaient. De sorte qu'elle ne se rendit compte qu'au dernier moment qu'ils arrivaient devant la chambre d'Adam. Pétrifiée, elle s'arrêta net.

Réprimant difficilement un sourire, Adam l'entraîna jusqu'à la porte qu'il ouvrit le plus naturellement du monde.

— Ne vous inquiétez pas, dit-il, je n'ai aucune arrière-pensée. Mais je pense que nous avons à discuter sérieusement et dans le calme. Aussi ai-je commandé à dîner dans ma chambre.

Confortable et accueillante, la pièce était luxueusement aménagée d'un mobilier en cuir ou en verre fumé. Une large baie vitrée donnait sur un petit balcon d'où l'on dominait la ville et le lac.

Surmontant difficilement l'impression de

malaise qui la gagnait, Cat se mit à observer le paysage d'un air rêveur.

— En cette saison, les jours sont très longs, déclara Adam qui s'était approché d'elle.

Surprise de le sentir si près, la jeune femme sursauta. Le souffle de son haleine dans son cou la faisait délicieusement frissonner. Confuse de sa réaction, elle tenta de s'écarter mais ne réussit qu'à se cogner contre lui.

Il la retint par les épaules, et un bref instant ils demeurèrent l'un contre l'autre.

Si Cat était plus troublée qu'elle n'aurait osé se l'avouer, Adam n'était pas, lui non plus, indifférent à la situation. Sa respiration légèrement précipitée trahissait son émoi.

Il allait l'embrasser mais la peur qu'il lut dans le regard de Cat le retint. Il observa une immobilité parfaite et la jeune femme en profita pour s'éloigner.

Il la regarda d'un air inquiet, comme s'il craignait qu'elle ne se sauve.

— Cat... commença-t-il à mi-voix.

L'arrivée du maître d'hôtel qui apportait le dîner l'interrompit. Pendant quelques instants, une certaine agitation régna dans la pièce et la conversation ne reprit que lorsqu'ils se retrouvèrent seuls.

— Expliquez-moi quel est le genre de travail que vous me proposez, demanda Cat en se servant un peu de poulet farci.

— Dans l'existence, peu de choses sont aussi satisfaisantes que de transmettre son savoir. Les artistes se doivent de communiquer leur technique, sinon leur talent, à ceux qui ont envie d'apprendre, expliqua-t-il, le regard perdu dans le lointain mais enflammé de passion.

Enrichir les autres ! Tel était le rêve de Cat. Laisser sa marque sur le monde en formant des successeurs !

— Vous avez sans doute aperçu les horribles imitations de bijoux indiens que l'on trouve sur le marché, poursuivit Adam. Qu'ils soient de luxe ou de pacotille.

— Certains sont simplement monstrueux. Lourds, prétentieux, inqualifiables. Ils sont pourtant exécutés avec les métaux les plus précieux.

— Vous savez que la plupart de ces horreurs sont fabriquées par des Indiens ? reprit-il avec amertume.

— Non ?

— Si. Soit parce qu'ils en ont assez de leur misère, soit parce que notre art n'a aucune importance à leurs yeux. Il ne s'agit que d'une tradition espagnole, clament-ils avec dédain. Ils fabriquent ces bijoux à la chaîne et trouvent facilement des clients pour les acheter à des prix exorbitants.

— En quoi suis-je concernée par ce scandale ? Pourquoi être venu me chercher à Detroit ?

36

Il la fixa un long moment et Cat prit conscience qu'ils allaient entrer dans le vif du sujet.

— J'ai fondé une école d'apprentissage destinée aux Indiens et aussi à tous ceux qui partagent ma conception des arts traditionnels. J'ai besoin de vous pour m'aider à y enseigner notre métier. Je dispose d'un immense terrain, les ateliers sont installés dans un ancien bâtiment administratif et, peu à peu, nous ajouterons des dortoirs afin que notre petite communauté puisse vivre correctement. Je souhaiterais que les élèves y cultivent leurs légumes, s'occupent du bétail, fabriquent leurs vêtements, en somme qu'ils travaillent pour payer leurs études.

Il observa un instant de silence.

— Un maître tisserand et un orfèvre, de vieux ouvriers qui allaient de place en place fabriquer les ornements religieux dont nos communautés avaient jadis besoin, m'ont déjà accordé leur soutien. Quant à moi, je peux enseigner l'art de travailler l'argent à l'ancienne à partir de modèles traditionnels. Mais il me faut un artiste qui soit inspiré par des idées contemporaines. J'ai besoin de vous, Cat. J'ai besoin de quelqu'un qui ait une vision inattendue du monde, qui prenne le métal et en fasse quelque chose hors du commun. Comme votre miroir. A ne suivre que la tradition, mes élèves ne deviendront jamais de vrais créateurs... Leur travail sera nécessairement figé et monotone. Je peux vous offrir le gîte, le couvert, un maigre salaire, et naturellement tout ce dont vous aurez besoin pour travailler, y compris les métaux et les pierres. Je crois que je peux vous aider à retrouver cette passion qui donnait tout leur prix à vos premières créations.

Adam avait fini de parler. Il se recula sur son siège et attendit le verdict de la jeune femme.

Elle demeura songeuse d'interminables instants, consciente qu'il lui offrait là une chance inespérée de s'épanouir. Depuis longtemps, elle rêvait de travailler avec d'autres artistes, de pouvoir se consacrer entièrement à son art.

Adam avait raison : elle se devait de transmettre son savoir.

Si l'expérience se révélait peu concluante ou peu satisfaisante, l'argent obtenu après la vente de son collier d'or lui permettrait d'affronter sereinement l'avenir.

— Mais vos reproches d'hier ? Comment pouvez-vous me demander d'enseigner alors que vous n'aimez pas mon travail ?

— Vous êtes douée, vous avez du talent, c'est incontestable. Mais vous devriez être la meilleure. Les bijoux de vos débuts, la petite bague que vous portez à votre doigt en témoignent incontestablement. J'aimerais être celui qui rallumera en vous la flamme momentanément éteinte. Cat, suivez-moi, faites-moi confiance !

Il se leva, lui tendit la main et l'attira auprès de lui. Emportée par son enthousiasme, la foi qu'il plaçait en elle, Cat le laissa faire. Elle se rendait compte qu'elle exaucerait en sa compagnie ses aspirations les plus profondes.

Certitude difficile à admettre. N'admirait-elle en lui que le créateur ou était-elle également sensible au charme puissant de l'homme ? Répondre à cette délicate question lui faisait peur.

En réalité, il était inutile de se le dissimuler plus longtemps : il n'était pas question d'admirer seulement son génie ou ses œuvres. C'était Adam Hawk qui troublait Cat, qui l'attirait comme personne depuis son aventure avec Lawrence. Et sans doute davantage. Brusquement elle eut peur. D'elle et de lui.

Comme s'il avait deviné les réflexions qui l'agitaient, Adam reprit :

— Je vous établirai d'abord un contrat d'un an, renouvelable pour cinq autres années si vous le souhaitez. Pendant la période probatoire, vous pourrez nous quitter à tout moment, si vous n'êtes pas satisfaite. La vie que vous mènerez à l'institut sera différente de celle de la ville, mais je pense que vous aurez à cœur de vous en accommoder.

— Je ne comprends toujours pas pourquoi vous m'avez choisie, moi, insista Cat. Un petit miroir n'est pas une raison suffisante. Cet objet n'aurait pu être réussi que fortuitement.

— En effet. Aussi y a-t-il autre chose...

Il plongea la main dans sa poche et en sortit un collier de Cat, vendu deux ans auparavant à Chicago.

— Ce que vous avez réussi à faire de ces pierres de lune m'a laissé pantelant. Ces fines tresses d'argent en rajout sur l'argent martelé sont d'une invention prodigieuse. Dès que j'ai eu ce bijou en main, j'ai eu envie de connaître sa créatrice. Ayant appris que vous faisiez une exposition, je suis venu la voir. Malheureusement j'ai été déçu par vos nouvelles réalisations.

Cat essuya furtivement une larme importune et s'empara du collier. Adam avait raison. Il n'avait rien de comparable avec ce qu'elle avait fait depuis six mois. Peut-être avait-elle progressé techniquement mais au détriment de sa spontanéité et de son imagination.

— Je ne sais plus travailler ainsi, confessa-t-elle en rendant le collier à Adam. Comme vous l'avez remarqué, l'étincelle s'est éteinte. Personne ne s'en est aperçu... sauf vous et moi.

40

— Non, Catriona, protesta-t-il en la prenant par les épaules. Cette flamme est vivante, ce don que vous avez de projeter vos émotions dans vos œuvres, de charger de sensibilité ces métaux et ces pierres inertes, existe toujours. Dans cet anneau passé à votre doigt, par exemple...

Doucement il lui releva le menton, l'obligeant à soutenir l'éclat de son regard. Bouleversée, la jeune femme se laissa caresser la joue, puis le cou, avant d'entrouvrir ses lèvres tremblantes.

Adam la pressa contre lui, glissa ses doigts dans sa chevelure acajou et, le souffle court, ne chercha plus à cacher le désir qui le consumait.

Son étreinte se resserra encore. Cat se sentait sur le point de défaillir mais, pour rien au monde, elle n'aurait mis fin à ces instants. Adam éveillait en elle des émotions inédites, follement grisantes. Fiévreusement, elle lui agrippa les épaules et lui offrit de nouveau sa bouche.

Emu par la tendresse qu'elle lui montrait, Adam redoubla d'ardeur. Il effleura sa gorge d'un doigt léger, suivit les contours de sa taille de guêpe, s'attarda un instant sur son ventre ferme.

Enivrée par la sensualité de ces hommages, Cat sombrait dans un océan de délices. Frémissante de passion, elle s'offrait sans contrainte à l'homme qui savait si bien deviner ses moindres désirs.

Lorsqu'il ouvrit son corsage et qu'elle sentit la douceur de ses mains sur sa peau brûlante, un gémissement étouffé lui échappa et elle se lova fougueusement contre lui.

Le vêtement léger tomba bientôt à ses pieds, et Adam posa sur son buste parfait un regard éperdument admiratif...

En cet instant, la jeune femme revint brutalement à la réalité. Par quelle folie se laissait-elle ainsi emporter par le plaisir ? Tout arrivait trop vite, de manière trop inattendue.

Elle repoussa Adam qui immédiatement s'immobilisa, sans pour autant la lâcher.

— Je suis désolée, commença-t-elle en rougissant. Je ne voulais pas...

— Cat...

Sa voix était douce, grave, presque plaintive.

Insensible à sa prière, la jeune femme remit rapidement de l'ordre dans sa toilette.

— Il est préférable que je m'en aille, dit-elle en cherchant son sac des yeux.

— Je ne voulais pas vous offenser, je vous le jure. Bien malgré moi, j'ai succombé au charme fou qui émane de votre personne. Pardonnez-moi.

Il parlait très vite comme s'il avait craint qu'elle ne disparaisse avant qu'il ait terminé.

— Je... L'école a besoin de vous, Cat. Je suis confus d'avoir involontairement fait intervenir d'autres considérations.

Il faisait d'énormes efforts pour paraître calme et distant mais son trouble était impossible à dissimuler. Semblable à celui de Catriona, qui, pourtant, recula encore le moment de s'enfuir.

— Quand voulez-vous ma réponse, Adam ?

— Maintenant.

— Si vite ?

— Je m'en vais dans deux jours. Venez avec moi, Cat.

Elle crut voir ses yeux se voiler de tristesse et d'appréhension et surmonta difficilement son désir de l'embrasser.

Cet homme fascinant l'attirait irrésistiblement. Désormais, elle n'avait plus le choix de refuser ses propositions.

— Quand partons-nous ? demanda-t-elle simplement.

Chapitre 4

CONFORTABLEMENT INSTALLÉE DANS L'AVION QUI LA conduisait à Flagstaff, sa première étape en Arizona, Cat se demandait en brûlant d'impatience ce que lui réserverait sa nouvelle existence.

Malgré la fatigue des préparatifs, abandonner son passé ne lui avait posé aucun problème réel. Angelica avait accepté l'idée de son départ avec enthousiasme, ravie que son amie ait trouvé un métier enrichissant et utile.

— Ne t'en fais pas pour moi, lui avait-elle dit. Mène ta vie et profites-en à ta guise. Si tu décides de rester en Arizona, je trouverai facilement une autre compagne.

Pour la première fois depuis qu'elle avait accepté l'offre d'Adam, Cat avait l'occasion de réfléchir à son avenir. Elle but une gorgée de vin blanc bien frais et considéra le paysage qui défilait en dessous d'elle : des centaines de kilomètres d'une terre désertique

45

terriblement différente des plaines verdoyantes du Midwest auxquelles elle était habituée.

— Nous arrivons, déclara Adam en rangeant les dossiers qui l'occupaient depuis plusieurs heures. Aucun regret d'avoir abandonné la civilisation pour me suivre ?

— Bien sûr que non. Mais il faut nous en tenir à la sagesse et ne plus songer à nous lier sentimentalement.

Il serra les dents et demeura silencieux un bon moment avant de répondre.

— Je suis d'accord avec vous, Cat. Je vous promets que je respecterai votre vœu sans faillir. Quoi qu'il m'en coûte.

Il avait parlé si sèchement que la jeune femme en rougit d'embarras.

— Je ne voulais pas vous blesser, Adam. Le problème me concerne seule, je vous l'ai déjà dit. Nous sommes incontestablement très attirés l'un par l'autre mais, actuellement, je ne suis pas en état d'affronter une situation de cet ordre.

Après quelques instants, Adam sourit gentiment.

— Pardon, murmura-t-il avec douceur.

Cat observa un silence contraint. Ses attentions la bouleversaient si profondément qu'elle avait peur de ne pas respecter ses engagements envers lui. La présence de cet homme tellement séduisant éveillait en elle des réactions incontrôlables. Résister à son charme constituerait un effort sans cesse renouvelé.

Soucieuse d'apaiser la tension qui régnait entre eux, elle demanda abruptement :

— Parlez-moi encore de Peshlakai, s'il vous plaît.

— Le mot signifie « celui qui travaille l'argent ». C'est ainsi que j'ai appelé notre école. Comme vous le savez, elle est située sur le territoire d'une réserve indienne. Il s'agit en fait d'un bâtiment de brique au confort extrêmement précaire mais j'espère y installer l'eau courante dans les plus brefs délais.

— Comment ferez-vous ?

— Nous disposons d'une immense citerne où se déverse la pluie. C'est on ne peut plus rudimentaire, comme vous le constatez. D'ailleurs, nous ne jouissons d'aucun des avantages de la civilisation.

— Devrai-je couper du bois et élever des poulets ?

— Non, pas avec ces mains-là, répondit-il en riant. Ce sont des mains d'artiste, le bien le plus précieux au monde !

Sans se rendre compte de ce qu'il faisait, il lui caressa furtivement les doigts. Cat frissonna délicieusement. Il serait vraiment difficile de maintenir une distance entre eux. Dieu veuille qu'Adam n'en ait pas trop conscience !

— Mais si vous voulez nous aider pour des

tâches moins ardues et moins dangereuses, vous serez la bienvenue, poursuivit-il. Cependant, rien ne vous y oblige. J'ai engagé un professeur, pas un manœuvre !

Brusquement, il lui lâcha la main ; comme s'il venait de s'apercevoir de son geste.

— Y a-t-il d'autres détails pratiques que vous m'ayez cachés ?

— Je ne pense pas.

— Alors parlez-moi des gens avec lesquels je vais vivre et travailler.

— Joseph Osborne, votre seul apprenti pour le moment, a de grandes possibilités mais un mauvais état d'esprit contre lequel il faudra lutter. Il veut commencer par le plus difficile et gagner très rapidement de l'argent. Il court au-devant de grandes désillusions.

— Et Ben Slowhorse ? C'est un orfèvre confirmé, lui ?

— Oui. Il adore son métier. Cela se voit dans tout ce qu'il fait. Vous vous entendrez bien, j'en suis sûr.

Serait-il le seul à l'accueillir favorablement ? Cat repoussa cette triste perspective. D'ailleurs, elle le saurait bien assez tôt.

— Il n'y a pas de femmes dans votre école ?

— Si. Notre « Sourire », Smiling Woman, la femme de Donald Chen. Elle enseigne le tissage aussi bien traditionnel que moderne. Sa fille Lee est l'une de nos apprenties.

— Chen n'est pas un nom navajo.

— Non. Donald est d'ascendance chinoise. Beaucoup de Chinois s'installèrent jadis dans notre région. Leurs enfants y sont restés. Il est l'un des assistants sociaux du *Dinee*.

A l'occasion de recherches sur les bijoux navajos, Cat avait appris que *Dinee* signifiait le « Peuple » et que les Navajos se considéraient comme le Peuple, le seul. Tous ceux qui n'en faisaient pas partie étaient considérés comme des étrangers, voire des ennemis.

Ce souvenir entama quelque peu l'enthousiasme de Cat. N'était-ce pas pure folie d'aller ainsi se plonger dans une civilisation inconnue ? Saurait-elle s'accommoder de son statut d'étrangère ?

— Ben, Joseph et Lee parlent tous les trois un excellent anglais, Maria Tso notre cuisinière et femme de charge, aussi, précisa soudain Adam, comme s'il avait perçu l'anxiété de Cat.

Bien loin de la réconforter, cette information accrut encore son désarroi.

Dans sa candeur, Cat n'avait pas une seconde imaginé que les Navajos s'exprimaient encore dans leur langue originelle ! Non seulement elle allait être confrontée à des habitudes et une morale nouvelles, mais elle serait entourée de gens qui s'exprimaient dans un langage incompréhensible !

— Veuillez éteindre vos cigarettes et attacher vos ceintures de sécurité, annonça une voix impersonnelle. Nous amorçons notre descente sur Flagstaff.

Les doutes et les inquiétudes de Cat s'évanouirent comme par enchantement ; seule demeurait l'excitation de la découverte. Elle regarda par le hublot et fut déçue de n'apercevoir que d'immenses terrains désolés. Alors, jetant un coup d'œil furtif à Adam, elle se rendit compte qu'il la fixait intensément.

— Un problème ? demanda-t-elle d'une voix inquiète.

— Je pensais simplement que vous ressembliez à une rose ou à un camélia. Comment une fleur aussi délicate va-t-elle survivre dans la chaleur et la dureté de notre pays ? Moi, je suis un cactus, je résiste à tout. Mais vous ?

— J'ai l'air fragile mais je suis infiniment plus solide qu'on ne penserait de prime abord.

— Oui, approuva Adam avec un sourire, je vous crois aisément.

Comme il est séduisant ! se répéta-t-elle pour la dixième fois. Se souvenant de la chaleur, de la douceur de ses lèvres sur les siennes, elle eut envie de lui demander d'oublier leur engagement, mais sut se retenir. Plus tard, peut-être. Quand elle saurait où elle en était et ce qu'elle ferait de sa vie. Avec un soupir de regret bien inconscient, elle

50

tourna la tête et reporta son attention sur le paysage.

Pour la première fois depuis l'Iowa, elle aperçut des arbres dans le lointain. Puis la terre se rapprocha, l'avion vira, vola encore quelques minutes et se posa doucement.

Dès que le ronflement des moteurs se fut tu, Adam lui tendit la main et déclara avec solennité :

— Bienvenue sur notre territoire, belle étrangère ! Puissiez-vous y vivre toujours dans la lumière et la joie !

Dès qu'ils furent sortis de l'aéroport et installés dans la camionnette qu'Adam y avait laissée avant son départ pour Detroit, Cat se montra d'une curiosité insatiable. La réputation de Flagstaff comme centre de création artisanale n'était plus à faire et sachant que tout ce qui se fabriquait ici et dans la région aurait dorénavant une forte influence sur son travail, elle ne voulait rien manquer : ni les rues ni les maisons ni les gens ni les couleurs ou les odeurs, comme si à chaque minute elle avait risqué de rencontrer un chef-d'œuvre insoupçonné.

— Il faut que je m'arrête chez des amis, annonça Adam, en se garant sur une petite place entourée de boutiques. Venez, Cat.

La jeune femme le suivit dans un magasin de style mexicain aux murs chaulés de blanc. Sur des étagères s'alignait une collection impressionnante de poteries noires de Santa Clara.

Au centre de la boutique, une jeune fille d'origine espagnole astiquait un superbe bracelet d'argent.

— Silversinger! s'exclama-t-elle en voyant entrer Adam. Cela fait plaisir de te revoir. Ton amie est-elle la fameuse orfèvre dont tu nous avais parlé?

— Oui. Cat, je vous présente Carla Marshall, la propriétaire des lieux. C'est elle qui s'occupe de vendre notre production de Peshlakai.

Tandis que Carla et Adam discutaient ensemble, Cat admira les objets offerts à la convoitise des clients tout en réfléchissant au nom étrange dont Carla avait gratifié Adam.

« Silversinger » : celui qui fait chanter l'argent. Etait-ce un surnom qui lui venait de son peuple?

Dès qu'ils eurent quitté la ville, Cat s'empressa de l'interroger à ce sujet.

— Les Indiens ont coutume d'appeler leurs enfants ou ceux qu'ils adoptent de manière extrêmement imagée. Dans votre société, seuls les criminels, les écrivains et les artistes ont des pseudonymes. Pas chez nous. C'est le lot de chacun et ce sera nécessairement le vôtre.

— Existe-t-il d'autres traditions que je devrai connaître?

— Eh bien...

Il hésita. Un petit sourire malicieux et inquiétant se dessinait sur ses lèvres.

— Autant vous prévenir tout de suite. Les Navajos ont la fâcheuse habitude de faire des jeux de mots. Quand vous commencerez à comprendre notre langue, vous devrez être extrêmement prudente si vous essayez de parler. Bien des mots ont plusieurs sens. Et vous pouvez être sûre que ceux qui vous écouteront, même si vous employez le terme juste, se feront un malin plaisir de faire comme si vous aviez dit tout autre chose et de rire aux éclats à vos dépens.

— Merveilleux ! Un confort douteux, un langage mystérieux et une bande de plaisantins incorrigibles ! Mon contrat m'oblige-t-il à supporter tout cela ?

— Naturellement, répondit Adam sur un ton rieur.

— Hum, marmonna Cat avant de s'absorber dans la contemplation du paysage.

Mais comme il n'était guère varié, elle ne put s'empêcher d'observer son compagnon. Il était superbe avec son nez droit aux narines frémissantes, son front large et haut, ses pommettes légèrement saillantes et son menton volontaire. Ses mains aussi étaient extrêmement belles bien qu'elles fussent étonnamment calleuses. Sans doute une pratique assidue de l'équitation en était-elle responsable. Adam lui avait confié qu'il possédait plusieurs chevaux.

Cependant, il tenait le volant avec une délicatesse presque sensuelle. Troublée par ce rapprochement saugrenu, Cat rougit imperceptiblement. Saurait-elle un jour oublier l'attirance qu'il exerçait sur elle ?

Comme il tournait légèrement la tête, Adam surprit le regard qu'elle avait posé sur lui.

— Ne me fixez pas ainsi, belle demoiselle, sinon je ne pourrai pas tenir ma promesse.

Et comme pour donner plus de poids à ses paroles, il lui effleura doucement la joue.

A ce seul contact, Cat sentit ses mains se glacer, un long frisson lui parcourut l'échine, son cœur se mit à battre la chamade.

Pour cacher son émoi, elle regarda par la portière. Si une simple caresse la troublait de cette façon, qu'adviendrait-il de son sort, si, d'aventure, elle passait une nuit dans les bras d'Adam ? Mieux valait ne pas l'imaginer.

Elle ferma les yeux dans l'espoir de se calmer et finalement s'endormit.

— Réveillez-vous, je voudrais vous montrer quelque chose.

Adam la secouait doucement et Cat reprit lentement ses esprits. Elle sortit de voiture, scruta les alentours et, brusquement, sursauta de surprise.

A leurs pieds s'étendait une immense plaine ocre où se dressaient les colonnes majestueuses de temples aux dimensions surhumaines, et de palais fabuleux et déserts.

— Monument Valley ! s'écria Cat en identifiant cette splendeur aperçue sur de nombreuses photos. C'est à vous couper le souffle ! Je n'ai jamais rien vu d'aussi impressionnant ni d'aussi beau.

— Cet endroit est absolument unique au monde, affirma fièrement Adam, comme s'il était le propriétaire des lieux.

Et en quelque sorte il l'était. Le fils de cette terre sauvage et admirable se retrouvait chez lui.

Il la fixait intensément et dans son regard il y avait une nuance indéfinissable qui émut autant Cat que la beauté du paysage. Sans réfléchir, elle se rapprocha de lui et lui caressa le bras.

Sa réponse fut immédiate. Ses bras se refermèrent sur elle et l'enlacèrent passionnément.

Murmurant des mots incompréhensibles, il lui couvrit le visage de baisers, s'enivra de la douceur de son cou, de la chaleur de sa gorge.

Emportée par les sensations brûlantes qui déferlaient en elle, Cat lui rendait ses caresses, heureuse de sentir sous ses doigts les larges épaules et les bras musclés de son compagnon.

Son cœur était près de se rompre, son imagination vagabondait follement. Que n'étaient-ils dans une chambre fraîche, sur un lit moelleux, nus et prêts à satisfaire ce désir qui les dévorait !

Adam se faisait de plus en plus pressant, de plus en plus audacieux et Cat, refusant obstinément d'écouter la petite voix qui lui criait prudence, s'abandonnait à la force de cette étreinte. Peut-être était-ce trop tôt, mais la passion était plus forte que la raison.

Soudain, contre toute attente, ce fut Adam qui rompit le charme. Il releva la tête et s'éloigna d'elle.

— Mon Dieu ! soupira-t-il, qu'il est difficile de tenir ses promesses !

Il lui prit le visage entre les mains, lui donna un dernier baiser presque sauvage et ajouta :

— J'ai bien peur que, si cet épisode devait se répéter, je me montre beaucoup moins chevaleresque.

Et sans un mot de plus, il repartit vers la camionnette.

Eberluée, Cat se sentait violemment bafouée. Jamais aucun homme ne l'avait ainsi rejetée. Elle était blessée, furieuse, avilie !

Mais peu à peu, tandis qu'elle regagnait lentement la voiture, sa rage et sa douleur s'apaisèrent. C'est elle qui avait insisté pour que leurs relations restent strictement professionnelles et, pourtant, c'est elle-même qui, la première, avait rompu le pacte !

Le regard perdu au loin, Adam attendait qu'elle s'installe sur son siège. Dès qu'elle eut claqué la portière, il mit le contact et murmura :

— Dès que vous voudrez...

Parlait-il de la poursuite de leur voyage ou d'autre chose ? Cat préféra rester dans l'ignorance.

Chapitre 5

ILS PARCOURURENT EN SILENCE DES KILOMÈTRES ET des kilomètres de désert rocailleux et plat.

— La réserve est encore loin ? demanda Cat qui s'ennuyait mortellement.

— Nous y sommes depuis longtemps. Elle commence peu après la sortie de Flagstaff. Monument Valley est sur notre territoire. Je pensais que vous le saviez.

— Mais où est votre peuple ? Nous n'avons pas traversé un seul village ni vu un seul campement.

— Nous n'en avons pas. Nos familles vivent dans des huttes disséminées un peu partout sur la réserve qui est plus vaste que tous les Etats de la Nouvelle-Angleterre réunis. Nous restons très loin les uns des autres mais quand il y a une cérémonie ou une réjouissance quelque part, il ne nous faut pas longtemps pour nous réunir et nous retrouver à cinq ou six cents !

Au fil des heures, Cat doutait de plus en

plus du bien-fondé de son départ. Comment s'adapterait-elle à des mœurs si radicalement différentes de celles auxquelles elle était habituée ?

Adam, évidemment, ne partageait pas ses angoisses. Peut-être ne les soupçonnait-il même pas.

— C'est bon de rentrer chez soi ! dit-il soudain. Parfois j'ai un peu honte de voyager si rapidement et si confortablement. Mais après tout, pourquoi s'en priver ?

— Pour apaiser vos scrupules, nous pouvons couper l'air conditionné et éteindre la radio, proposa Cat d'une voix moqueuse.

— Merci bien ! Le Peuple est renommé pour savoir mieux que quiconque faire sien tout ce qu'il y a de meilleur chez les autres. Je pourrais à la rigueur supporter la chaleur, mais la musique me manquerait.

Il était près de sept heures et demie quand ils arrivèrent enfin à Peshlakai. Dans le lointain on devinait des formes rocheuses rappelant celles de Monument Valley et la jeune femme fut soulagée que le paysage soit plus varié que pendant le voyage.

— Bienvenue chez moi, petite fée, déclara Adam en ouvrant la portière.

Tandis qu'il déchargeait les bagages, Cat se mit à examiner les lieux avec attention.

Ils étaient tels que les avait décrits Adam : trois bâtisses, l'une de briques chaulées de

60

blanc et agrémentée d'une véranda, les deux autres en rondins avec des toits bleus.

Une petite femme, très mince et très brune, aux longs cheveux noirs nattés dans le dos, s'approcha d'eux en affichant un air maussade.

— Maria ! s'écria Adam, je te présente Catriona.

Ignorant délibérément la jeune femme, elle salua Adam en s'exprimant dans sa langue maternelle. Mais il dut lui faire la leçon car elle se résigna à lui adresser un petit signe de tête.

— Ben fait un collier, dit-elle, en anglais cette fois, Lee et Joseph sont à Kayenta mais ils rentreront pour le dîner.

Après ce bel effort de politesse, elle leur tourna le dos et disparut.

De toute évidence Maria était jalouse. Adam était-il son... Refusant d'approfondir la question, Cat déclara d'une voix enjouée :

— Je suis impatiente de voir Ben à l'œuvre. Si cela ne l'ennuie pas, bien sûr.

— Je pense que notre visite lui fera plutôt plaisir. Venez.

Il l'emmena dans l'école dont la première pièce était meublée d'une grande table sur tréteaux, de chaises de bois, d'un vieux sofa couvert de grands châles navajos multicolores, et d'une table basse en rondins. Une large cheminée de brique, des étagères couvertes de livres et de poteries conféraient à

61

l'ensemble un petit air d'intimité et de chaleur.

— C'est notre salle commune, expliqua Adam. C'est là que nous prenons nos repas et que nous nous détendons.

Ils franchirent une porte donnant sur un étroit couloir qui desservait deux autres pièces.

— L'atelier d'orfèvrerie, dit-il en pénétrant dans la première.

Il faisait à peine jour et pourtant un homme d'un certain âge, à la longue chevelure argentée, était penché sur son établi et maniait des outils d'orfèvre avec dextérité et promptitude.

Il était probablement aussi grand qu'Adam mais infiniment plus maigre. Décharné, presque. Sa chemise à carreaux bleus et son vieux jean flottaient autour de lui.

— Bienvenue dans la maison du Peuple, Catriona Frazer, dit-il d'une voix grave et chantante.

Il lui tendit une main que des années de travail avait rendue rugueuse et ajouta :

— Je connais votre travail grâce à Silversinger. Il est excellent.

— Merci. Verriez-vous un inconvénient à ce que je vous regarde graver ?

— J'ai bien peur que ce collier ne mérite guère d'être montré pour l'instant. Après le dîner, peut-être.

Il leur fit un aimable petit salut et se remit

à ciseler. En se retournant, il fit tomber une turquoise. Il fixa le sol à l'endroit où avait eu lieu le choc mais la pierre avait roulé plus loin.

— Derrière ton pied gauche, Ben, lui dit Adam.

L'homme se pencha et ramassa la turquoise qu'il roula longuement dans ses doigts, en quête d'un éventuel dommage.

Comme beaucoup de ses semblables, à force de labeur, Ben Slowhorse avait pratiquement perdu la vue !

Emue et stupéfaite, Cat interrogea Adam des yeux. D'un hochement de tête, il confirma ses soupçons.

Silencieusement, ils quittèrent la salle, laissant l'orfèvre à ses occupations.

— Je savais que certains artisans souffraient de cécité, dit Cat quand ils furent dans le couloir. Mais je n'en avais encore jamais rencontré.

— Parce que vous ne fréquentez que de jeunes ouvriers. Beaucoup d'anciens, comme Ben, se sont usé les yeux à la tâche. Ce qui les chagrine le plus, c'est de n'être plus capables de faire aussi bien que dans leur jeunesse.

— Il n'est pas totalement aveugle ?

— Non. En pleine lumière et de près, il verrait votre visage. Mais il ne peut plus lire, par exemple, et c'était sa distraction favorite. Il fait toujours ses moules lui-même, au toucher, mais je veille à ce qu'il n'ait plus à manipuler les métaux fondus.

Vint ensuite la visite de l'atelier de tissage. Sur chacun des trois métiers qui occupaient l'espace, un tapis était en cours de fabrication. Accroché au mur, un autre était exposé, d'une finesse de texture et d'une délicatesse de ton exceptionnelles.

— Quelle merveille! s'exclama Cat avec enthousiasme. Qui est l'auteur de ce chef-d'œuvre?

Comme Adam demeurait silencieux, Cat tourna les yeux vers lui. Il semblait pétrifié. Le regard triste, les lèvres pincées, on aurait dit qu'il venait d'assister à une véritable catastrophe.

— Sortons.

Il avait parlé de manière tellement péremptoire que Cat n'osa demander d'autres explications. Il y avait là quelque mystère qu'elle découvrirait un jour ou l'autre.

Adam, qui avait retrouvé son expression habituelle, lui fit retraverser la salle commune et la conduisit de l'autre côté de la maison.

— Voilà votre chambre, annonça-t-il en poussant une porte. J'espère que vous aimez les grandes pièces peu meublées et les poutres apparentes.

Il n'y avait en effet qu'un grand lit, deux chaises, une petite table et une armoire.

— Par la véranda, où vous pourrez vous

reposer le soir, vous avez directement accès sur l'extérieur. Il existe même un cabinet de toilette privé doté de tout le confort moderne. Dans l'armoire, vous trouverez des draps et des serviettes.

Bien qu'Adam ne l'ait pas précisé, le sol de tommettes était jonché de tapis navajos, une superbe cheminée trônait dans un angle de la pièce.

— Je suis franchement émerveillée, répondit Cat. Je ne m'attendais pas à avoir une chambre aussi confortable ni aussi belle.

— Je ne savais pas comment vous réagiriez en arrivant de Detroit. J'ai donc préféré noircir un peu le tableau pour vous réserver une bonne surprise et que vous ne vous sauviez pas, horrifiée.

— Quel manque de confiance en moi ! J'ai grandi dans les forêts du nord du Michigan, il n'y avait même pas l'eau courante. Je vous ai dit que je n'étais pas une fleur fragile et délicate. Je serai très bien ici.

— Espérons-le, petite fée.

Il la regardait si intensément qu'une fois encore Cat fut bien près de renoncer à ses excellentes résolutions d'éviter tout contact avec lui.

Elle n'était pas la seule à mener ce dur combat contre leur attirance mutuelle. Les mâchoires et les poings crispés d'Adam témoignaient de l'intensité de ses efforts pour demeurer loin d'elle.

Silencieux et résignés, ils regagnèrent la grande salle où les attendait Maria.

La mine aussi renfrognée que lors de leur arrivée, elle s'adressa à Adam.

— En anglais, s'il te plaît.

— Le dîner est prêt, Silversinger, dit-elle alors avec la plus mauvaise grâce du monde.

Ce comportement semblait intriguer Adam. Ne comprenait-il pas que Maria était jalouse ? Etait-il de ces hommes qui ignorent les malheureuses qui souffrent en cachette à cause d'eux ?

Les deux jeunes apprentis n'étant pas rentrés, le repas fut très calme. Maria ne leva pas le nez de son assiette et ne desserra pas les dents.

Ben et Adam firent donc de leur mieux pour mettre la jeune femme à l'aise mais, une fois le dessert terminé, tous quittèrent rapidement la table.

— La journée a été longue, dit Adam. Vous paraissez épuisée. Allez vous coucher.

Cat n'eut pas le temps de répondre ; Ben revenait. Il avançait avec la même grâce naturelle que Maria ou Adam. Et à le voir se déplacer ainsi, personne n'aurait pu soupçonner son infirmité.

— Tenez, Catriona Frazer, dit-il en lui tendant un collier. Je l'ai fait pour vous dès que j'ai su que vous nous rejoindriez.

C'était un luxueux bijou dont la chaîne en argent massif soutenait une émeraude

66

enchâssée dans une plaque d'or qui évoquait le vol d'un oiseau en plein ciel. La simplicité et la finesse du travail prouvaient l'infinie maîtrise de l'artiste.

— Oh ! Ben...

— Dans ma jeunesse, je taillais les pierres jusqu'à les transformer en petites sculptures. Maintenant je suis obligé d'en revenir au style purement navajo et je dois les utiliser telles qu'elles sont. Grosses de préférence. La nature reprend toujours le dessus. Peut-être est-ce mieux ainsi !

Cat voulut le remercier mais, d'un signe de tête, Adam l'en empêcha.

— Ne t'inquiète pas, Silversinger, intervint Ben qui avait compris son geste. Il y a longtemps que je suis habitué aux manières des Bellicani. Inutile de me remercier, ajouta-t-il à l'adresse de Cat. Chez nous, cela ne se fait pas.

Sur ces mots, après un bref salut, il quitta la pièce.

— Un peu de café ? demanda Adam.

— Non, merci. Mon Dieu ! J'ai prononcé le mot fatàl...

— Avec moi vous pouvez parler comme il vous plaît. Sachez simplement que le peuple ne manifeste sa gratitude que dans les très grandes occasions.

— Rome ne s'est pas faite en un jour, fit-elle remarquer en haussant les épaules. Je ne peux pas tout apprendre le premier soir. Mais j'y parviendrai.

Cat accrocha le collier autour de son cou et, toute joyeuse, alla se contempler dans un miroir accroché au mur.

— Regardez comme il me va bien ! s'extasia-t-elle. On dirait que l'argent a été coulé directement sur ma peau. Pour un peu je me prendrais pour une princesse parée pour une grande cérémonie en l'honneur de la lune !

Riant de son excès d'imagination, elle voulut retirer son collier mais le fermoir s'était pris dans ses cheveux.

— Je pourrais peut-être vous aider, suggéra Adam.

Sans attendre sa réponse, il s'approcha d'elle et se pencha sur son cou.

Le frôlement de ses doigts, son odeur d'ambre et de santal troublèrent la jeune femme au-delà de toute expression. Le bijou tomba au creux de sa gorge, Adam s'en empara aussitôt, éveillant en elle un torrent de flammes. Incapable de lutter plus longtemps, elle se serra contre lui, s'abandonnant à la volupté de son étreinte, conquise...

Adam lui prit le visage entre les mains, la contempla interminablement. Se perdre dans l'océan de son regard bouleversait Cat, elle avait tout oublié de ses fermes résolutions.

Mais, brutalement, il s'éloigna d'elle et quitta la pièce sans un mot d'explication.

Pendant quelques minutes, la jeune femme eut envie de hurler de rage et de déception. Puis elle comprit son attitude et lui pardonna.

Se rendant compte que l'heure avançait, elle prit une douche et se mit au lit, mais fut incapable de trouver le sommeil. L'image d'Adam la hantait. Cette chambre était-elle la sienne ? Pourquoi la lui avait-il laissée ? Parce qu'il espérait y revenir bientôt, avec elle, ou simplement parce, galamment, il se préoccupait de son confort ?

Mon Dieu ! Comme elle avait besoin de sa présence ! songea-t-elle soudain en se rendant compte qu'elle se consumait du désir de sentir son corps puissant contre le sien.

Renonçant à s'endormir, elle se leva d'un bond et se rendit sur le balcon. Il régnait une telle fraîcheur, les étoiles diffusaient une lumière si douce que Cat décida de se promener un peu dans la campagne.

Tout était profondément endormi ; l'air semblait immobile, le temps avait suspendu son vol, la nature retenait son souffle.

Mais au fur et à mesure que la jeune femme s'éloignait, la végétation devenait de plus en plus rare et Cat éprouva bientôt un vague sentiment de malaise. Trop inquiète pour continuer à marcher, elle fit demi-tour. A cet instant, une pierre se détacha du bas-

côté et se mit à rouler dans un fracas insupportable. Cat allait crier quand une main
s'empara de son poignet.

— Que faites-vous ici à une heure
pareille ? demanda Adam d'une voix sèche.

— Pourquoi ne m'avoir pas prévenue de
votre présence ? répliqua-t-elle en essayant
de retrouver son souffle. J'ai eu tellement
peur...

Il la prit par les épaules sans la moindre
délicatesse.

A la clarté de la lune, son visage paraissait
infiniment plus dur qu'il ne l'était en réalité,
son regard flambait de colère.

— Vous ne m'aviez pas vu, peut-être ?
demanda-t-il avec une ironie amère.

De toute évidence, il était convaincu que la
jeune femme n'avait cessé de savoir qu'il
était là.

— C'est pour me provoquer que vous vous
promenez dans ce délicieux déshabillé ?
poursuivit-il presque durement.

Gênée, Cat baissa les yeux. Il avait raison.
Une très légère brise soulevait la soie de son
vêtement, elle était parfaitement indécente !

— Laissez-moi, dit-elle en essayant
d'échapper à son emprise.

Loin d'acquiescer, il resserra son étreinte.

— Est-ce vraiment ce que vous souhaitez ?

Adam la défiait avec une expression dont
elle ne pouvait — ou ne voulait — comprendre le sens.

— Que voulez-vous dire ?

— Vous le savez aussi bien que moi. Faisiez-vous réellement une petite promenade ? Ou êtes-vous sortie en sachant que j'étais là ? Dans ce cas, n'est-il pas un peu tard pour faire machine arrière, Cat ? insista-t-il en l'attirant contre lui.

Il approcha ses lèvres des siennes, mais elle était trop furieuse pour répondre à son baiser et se débattit farouchement. Soucieux de ne pas la blesser, conscient que son refus était sincère, Adam n'insista pas. Sans un mot, Cat tourna les talons et partit en courant. Malheureusement, elle se prit le pied dans une racine et tomba de tout son long. En quelques secondes, Adam était auprès d'elle, la soulevait et l'emportait en la serrant si fort qu'elle ne pouvait ni parler ni respirer.

— Je ne veux pas que vous me portiez, laissez-moi, protesta-t-elle quand les battements de son cœur se furent calmés et qu'elle eut retrouvé ses esprits.

Sans se troubler, Adam la porta jusqu'à sa chambre.

Avec d'infinies précautions, il la déposa sur son lit, alluma et lui tâta la cheville.

— Où avez-vous mal ?

— Nulle part. J'ai essayé de vous le dire mais vous sembliez bien trop furieux.

En un éclair l'expression d'Adam se modifia du tout au tout. La tension disparut, faisant place à un large sourire.

— Il faut dire que vous voir apparaître en pleine nuit m'a complètement désorienté.

Il ne la quittait pas des yeux et son regard errait sur son corps de manière de plus en plus insistante.

— Je ne suis pas un saint, vous savez.

Confuse, Cat voulut remonter le drap sur elle mais encore une fois Adam devança son geste et la couvrit soigneusement.

— Précisons les termes de notre pacte, Cat. Si vous ne me défiez plus jamais dans cette tenue, je vous promets que je me montrerai d'une correction à toute épreuve.

Il s'inclina cérémonieusement et lui prit la main.

— C'est en voyant un bijou de vous aussi réussi que la bague que vous portez au doigt qu'un jour je suis tombé amoureux de vous, Cat...

Il posa un baiser brûlant au creux de sa paume et quitta aussitôt la pièce.

Eperdue d'émotion, la jeune femme le regarda partir sans ajouter un seul mot.

Chapitre 6

LE LENDEMAIN MATIN, ELLE SE RÉVEILLA EN SE demandant comment affronter Adam après sa déclaration de la veille. Heureusement, le problème n'eut pas à se poser : Joseph Osborne, son apprenti, resta sans cesse auprès d'eux pour les interroger sur leur art ou n'importe quel autre sujet. En effet, tout l'intéressait : aussi bien la production d'automobiles à Detroit que la culture dans les Grandes Plaines ou les courses de voiliers sur les lacs.

— Tu pourrais peut-être laisser manger notre invitée, dit Adam en passant un plat de galettes de maïs à Cat.

— Oh ! Excusez-moi, répondit Joseph d'une petite voix. J'ai si rarement l'occasion de parler avec des gens qui ne vivent pas dans la réserve... Je ne connais que Flagstaff, Gallup et Sedona, à cause de l'exposition de bijoux que les Gerish y organisent chaque année dans leur boutique. Vous y participerez, en septembre ?

— Je ne sais pas encore.

A cet instant, une charmante jeune fille, Lee Chen, fit son entrée dans la pièce sans saluer personne. Elle ignora totalement la présence de Cat et répondit vertement à Joseph lorsqu'il se permit de lui adresser la parole.

— Mets beaucoup de sucre dans ton café, lança-t-il ; tu es aussi aigre qu'un citron vert, ce matin.

Ils se regardèrent d'un œil hostile et leur échange aurait probablement dégénéré en querelle si Adam n'y avait mis un terme en se levant brusquement.

— Il est temps que le maître et son élève se mettent au travail, annonça-t-il. Cat et Joseph doivent aller à l'atelier.

Du couloir, la jeune femme entendit Maria et Lee discuter avec animation. D'elle probablement. Et à en juger le ton de Lee, ses commentaires ne devaient pas être très flatteurs.

Peu importe ! se dit-elle en songeant à la matinée qui l'attendait.

— Montrez-moi votre dernière création, Joseph, demanda-t-elle en arrivant dans l'atelier.

Il sortit de son écrin un bijou en argent particulièrement harmonieux.

— Magnifique ! s'exclama Cat avec enthousiasme. Cela va être très agréable de travailler avec quelqu'un d'aussi doué.

Il fit un timide sourire de remerciement qui la toucha profondément. Il était vraiment charmant, ce jeune garçon curieux et plein de pudeur !

— Joseph est peut-être doué mais il est prêt à tout pour gagner de l'argent, intervint Adam qui venait d'entrer dans la pièce. J'aimerais assez qu'il observe les méthodes de Ben pour s'en inspirer et ne plus réaliser les horreurs qu'il a faites il y a quelques mois.

Cat les observa tous deux, interloquée.

— Que se passe-t-il ?

— J'aimerais me marier avec une jeune femme qui connaît un excellent vendeur de bijoux. Il me fournit tout le matériel dont j'ai besoin à condition que je respecte certains de ses critères artistiques... qui ne sont pas du tout les mêmes que ceux d'Adam.

— Où vit votre fiancée ?

— Ramona a essayé de s'installer ici mais l'existence y étant trop pénible, elle a très envie de retourner à Chicago. Je ne sais plus quoi faire. D'autant plus qu'Adam menace de me renvoyer de Peshlakai si j'accepte une nouvelle fois de fabriquer les bijoux qui nous permettraient de gagner l'argent nécessaire à notre mariage.

— Maintenant que je suis votre professeur, je suis seul juge, déclara fermement

Cat. Ne vous inquiétez pas, Joseph, vos problèmes trouveront nécessairement une solution.

Rien n'était simple dans le petit monde de la réserve. Chacun y rencontrait les difficultés inhérentes à la vie communautaire. A commencer par Lee Chen qui, apparemment, ne supportait pas la présence de Cat parmi eux. La jeune femme décida de chercher à se concilier ses faveurs et, avant le dîner, la rejoignit dans l'atelier de tissage.

Sous les rayons du soleil couchant, le tapis que Cat avait admiré la veille était encore plus beau. La lumière dorée faisait chanter les couleurs ; Cat s'approcha et, fascinée, en caressa longuement la texture.

Un léger bruit de pas lui fit tourner la tête.

— Il vous plaît ? demanda Lee Chen.

— Enormément. C'est vous qui l'avez tissé ?

— Non, répondit-elle après une légère hésitation. C'est la femme de Silversinger.

Sans autre explication, elle tourna les talons et disparut aussi silencieusement qu'elle était venue.

La femme d'Adam ! Cat était complètement bouleversée. Qui était-elle ? Où était-elle ?

Adam marié ! Lui qui l'avait embrassée avec une telle passion ! Comment osait-il ?

La colère et le chagrin lui nouaient la gorge ; mais peu à peu, elle retrouva son calme. Ce n'était pas possible. Certes, elle ne connaissait pas cet homme depuis très longtemps, mais elle en savait assez sur lui pour pouvoir lui accorder sa confiance. Il existait nécessairement une explication, dont elle découvrirait bientôt le secret en interrogeant Adam.

De retour dans l'atelier, elle posa sur lui un regard nouveau. Il lui parut toujours aussi beau mais elle se rendit compte que son sourire et son regard étaient voilés de tristesse. Elle se sentit plus que jamais tentée de l'aider à surmonter le chagrin qui le minait.

Elle songeait au moyen de le faire quand il leva les yeux sur elle.

— Fatiguée, Cat ? demanda-t-il. Vous semblez un peu étrange.

— Je rêvais, c'est tout.

— Allons faire un tour, si vous voulez.

Soucieuse de saisir cette chance de lui parler, Cat acquiesça d'un signe de tête. Ils marchèrent en silence ; la jeune femme ne savait par où commencer.

— Qu'y a-t-il, Cat ? demanda-t-il brusquement en lui prenant gentiment les mains. C'est à cause d'hier soir ? Je voulais vous présenter mes excuses mais nous n'avons pas été seuls un instant.

— Je me sens un peu lasse, répondit-elle en se maudissant de ne pas oser lui confier sincèrement ses préoccupations.

Adam lui en fournissait de lui-même l'occasion rêvée et elle reculait ! Mieux valait ne pas se le cacher plus longtemps, elle avait peur de la réponse. Pourtant il fallait qu'elle sache !

Elle prit son courage à deux mains et déclara d'une seule traite :

— C'est faux, Adam, je ne suis pas fatiguée. Quelque chose me tracasse.

Les sourcils froncés, il posa sur elle un regard interrogateur.

— Il y a une question que je voudrais vous poser... Adam, où est votre épouse ?

En un éclair, l'expression d'Adam se durcit. Les mâchoires serrées, il lui tourna le dos.

— Je suis désolée, poursuivit-elle d'une petite voix.

— Non, c'est moi qui le suis. Je n'aurais pas dû réagir ainsi. Ma femme... ma femme est morte.

Cat eut envie de disparaître sous terre. Quel égoïsme d'avoir ainsi apaisé sa curiosité jalouse en ravivant un tel chagrin ! Elle aurait tellement aimé lui apporter son réconfort. Mais elle eut peur de se montrer plus désagréable encore.

— Pardonnez-moi, Adam, dit-elle simplement. Je ne voulais pas être indiscrète...

— Maintenant que j'ai commencé, il me faut poursuivre, Cat. Cela vous ennuie ?

— Au contraire, répondit-elle avec chaleur.

78

Il s'assit par terre et l'invita à le rejoindre.

— Nous nous sommes connus à Window Rock pendant une grande fête. Jamais je n'avais vu créature plus délicieuse, plus jolie, plus charmante que Teresa. Au petit matin je lui ai demandé si elle voulait bien me prendre pour époux. Quand elle a timidement baissé les yeux et a murmuré un « oui » à peine audible, j'ai eu toutes les peines du monde à me convaincre que j'avais bien entendu.

Il observa un moment de silence et reprit :

— Son père m'aimait bien mais sa mère n'avait aucune envie d'avoir pour gendre un homme qui vivait à moitié selon les usages occidentaux. J'ai donc promis de bâtir une hutte près de la sienne et de vivre selon la tradition qui lui tenait tant à cœur. Chez nous, je vous l'ai peut-être expliqué, ce sont les maris qui vont chez leur femme et non l'inverse.

Cat hocha la tête. Elle se souvenait en effet de ce détail. Mais elle avait du mal à imaginer Adam passant son existence dans l'ombre de ses beaux-parents.

— Peu après notre installation, reprit-il en torturant le sol avec un petit morceau de bois, nous nous sommes aperçus que Teresa avait un problème cardiaque. Des séquelles de rhumatismes articulaires. Elle en est morte.

— Les médecins n'ont rien pu faire ? Je croyais...

— Les médecins ? l'interrompit Adam sur un ton amer. Il n'en a pas été question. Teresa n'a accepté que les remèdes traditionnels, connus et éprouvés par sa mère. S'ils sont parfois efficaces, ils se sont révélés, dans ce cas précis, parfaitement insuffisants. Mais Teresa a formellement refusé que je la conduise dans un hôpital blanc. Elle préférait mourir. Et c'est ce qu'elle a fait.

Le morceau de bois vola en éclats.

— J'étais en train de lui fabriquer un collier. Quand j'ai quitté mon établi pour aller la voir, je l'ai trouvée...

La gorge nouée, Cat dut retenir ses larmes. Le drame la bouleversait d'autant plus qu'elle se rendait compte qu'Adam adorait encore cette femme.

— Vous l'aimez toujours ?

— Je l'ai aimée passionnément. Mais quand elle est morte, je l'ai haïe. Haïe, vous m'entendez ? Parce qu'elle m'avait abandonné. Par entêtement, par aveuglement. Un aveuglement plus grand que son amour pour moi !

— Mais maintenant vous ne la haïssez plus ?

— Non. Quand elle est morte, j'ai quitté la réserve. Je ne voulais plus entendre parler de traditions ! Finalement, je suis quand même revenu. Je ne me sens chez moi qu'ici. Pardonnez-moi, ajouta-t-il, vous m'avez posé une question et je vous ai soumis un interminable mélodrame ! C'est la première fois que je me confie à quelqu'un. Merci, Cat.

Ils se levèrent et, la main dans la main, se dévisagèrent en silence. Parfaitement en paix avec eux-mêmes et l'un avec l'autre.

Au bord des larmes, Cat éprouvait à son égard une reconnaissance infinie. De manière étrange, étant donné le récit qu'elle venait d'entendre, elle se sentait presque heureuse.

Lorsqu'ils entrèrent dans la salle à manger, le changement subtil de leurs relations n'échappa pas aux autres. Maria semblait triste mais résignée. Lee paraissait toujours en colère. Quant à Ben et Joseph, ils affichaient un sourire réjoui.

Ils s'étaient absentés assez longtemps et Cat finit par comprendre que tous s'imaginaient qu'elle et Adam s'étaient déclaré leur passion.

Pas encore, songeait Cat, mais cela ne saurait tarder. Ce soir, ils avaient comblé l'écart qui pouvait encore les séparer.

Chapitre 7

À QUELQUE TEMPS DE LÀ, ADAM PROPOSA À CAT DE LUI montrer une des curiosités de la région, le White Ruins Canyon.

Elle comprit alors que le moment était venu où ils exauceraient leur attirance mutuelle. En acceptant cette promenade, elle acquiesçait d'avance à ce qui ne pouvait manquer d'arriver.

Indiciblement émue, elle se sentait comme une jeune fille le soir de son premier rendez-vous, comme une jeune mariée le jour de ses noces.

Un doute l'effleura cependant. Peut-être, après tout, se faisait-elle des idées ?

Non ! Certains signes ne pouvaient mentir. La qualité des regards qu'ils échangeaient, le trouble qui s'emparait d'eux dès qu'ils approchaient l'un de l'autre...

Il arrivait souvent que l'un finisse une phrase que l'autre avait commencée...

La jeune femme songeait à tous ces détails quand Adam frappa à la porte.

— Entrez ! cria-t-elle joyeusement.

Sans un mot, il s'approcha d'elle et enfouit son visage dans sa chevelure parfumée.

Le cœur de Cat se mit à battre plus vite dans sa poitrine.

— Que vous êtes belle ! murmura-t-il. La première fois que je vous ai vue, j'ai eu envie de vous défaire votre chignon et de laisser tomber en cascade cette masse flamboyante. Cat... reprit-il timidement.

Elle ne le laissa pas aller plus loin, et le plus naturellement du monde se serra contre lui. Tendrement, il l'enlaça et ils demeurèrent ainsi un long moment, heureux d'être simplement l'un près de l'autre.

— Il y a un lac, là-bas, m'avez-vous dit. On peut s'y baigner ? demanda finalement Cat.

— Vous avez un maillot ?

— Non, malheureusement.

— Alors, allons-y, répondit-il en riant.

Joignant le geste à la parole, ils sortirent de la pièce et montèrent dans la camionnette d'Adam. Le voyage se déroula agréablement et, après une heure de route, il déclara fièrement :

— White Ruins Canyon !

En face d'eux, des colonnes, des tours, des pans de murailles de calcaire raviné et grisâtre se dressaient majestueusement, à flanc de pentes abruptes qui descendaient jusqu'au canyon.

Ils empruntèrent un petit sentier et précautionneusement se mirent à avancer l'un derrière l'autre en se cramponnant à la paroi de granit. Ils amorçaient un virage particulièrement difficile quand, brusquement, Adam disparut, comme absorbé par le paysage. Interloquée, la jeune femme regarda autour d'elle et aperçut enfin une ouverture pratiquée dans le rocher. Elle s'y engagea, longea une rampe en pente douce et déboucha sur un nouveau monde, stupéfiant ! Il s'agissait d'une vaste grotte aux parois incurvées, au fond de laquelle s'étendait un lac d'eau pure, aussi claire et aussi bleue que le regard d'Adam.

De pâles rayons de soleil s'y reflétaient comme en un miroir avant de se réverbérer sur la roche qui ainsi éclairée perdait toute réalité.

Près du lac, sur une minuscule plage de sable fin, Adam semblait perdu dans ses pensées. Ses souvenirs, peut-être ?

— Ma surprise vous plaît ? demanda-t-il quand il l'entendit approcher.

— Follement.

— Très peu de gens connaissent cette grotte, même parmi le Peuple. Quant aux archéologues ou géologues, il faudrait la leur montrer pour qu'ils croient à son existence ! Ce que je me garderai bien de faire.

Il se débarrassa du sac contenant leur déjeuner et invita Cat à s'asseoir auprès de lui. Comme elle demeurait immobile, il avança d'un pas, un merveilleux sourire aux lèvres, et la prit dans ses bras.

Alors, il ôta sa robe légère, enleva lui-même sa chemise et effleura tendrement le buste de la jeune femme.

Haletante, palpitante, brûlante comme sous le feu du soleil tropical, Cat se blottissait contre lui en gémissant doucement.

— Adam, Adam... murmura-t-elle en lui couvrant le cou et la poitrine de baisers.

Sans la lâcher un seul instant, Adam l'allongea au bord de l'eau, tandis que ses lèvres tendres et impatientes couraient sur sa gorge soyeuse.

Contrairement au lac étale comme un miroir, Cat se sentait emportée par des vagues d'émotions de plus en plus violentes, bouleversantes. A chaque nouvelle caresse, elle s'enflammait davantage, comme un volcan prêt à entrer en éruption.

Ensemble, à la même seconde, ils se débarrassèrent mutuellement de leurs vêtements, se sourirent, d'autant plus heureux qu'ils avaient si longtemps contenu leur désir.

Puis, brusquement figé, Adam plongea son regard dans celui de Cat ; il voulait savoir si réellement il n'y avait plus trace d'hésitation ou de regret en elle. En guise de réponse, elle lui offrit ses lèvres.

Dès lors un torrent de passion les submergea. Leurs corps se rejoignirent, chacun sut découvrir les gestes qui combleraient l'autre et, heureux de s'entendre si parfaitement, ils atteignirent ensemble les rivages de l'extase. Ils retardèrent le plus longtemps possible l'instant où le plaisir culminerait, puis, n'y tenant plus, sombrèrent dans les bras l'un de l'autre en se criant leur nom.

Beaucoup plus tard, après s'être restaurés, ils s'aimèrent de nouveau, comme s'ils étaient seuls au monde et les premiers à avoir découvert semblable enchantement.

Chapitre 8

CAT AVAIT CRAINT QUE LES HABITANTS DE PESHLAKAI ne réprouvent leur amour. Mais, pour son plus grand soulagement, tous s'en gardèrent. De sorte qu'Adam put enfin la rejoindre et s'installer dans la chambre qui naguère avait été la sienne.

A présent qu'ils étaient ensemble si souvent, la jeune femme ne regrettait plus d'avoir quitté son Michigan natal. L'amour d'Adam remplaçait tout.

— Je n'imaginais pas que l'on puisse être aussi heureux, lui déclara-t-elle un matin. Parfois je me demande ce que j'ai fait pour mériter cela. Je me sens presque honteuse.

— Il n'y a pas de honte à être une femme aimée !

Il l'embrassa tendrement et Cat eut conscience qu'il était aussi heureux qu'elle. Un point avait particulièrement plu à la jeune femme : que Maria ne lui montre plus la moindre hostilité. D'ailleurs, elle avait fini par comprendre que sa mauvaise grâce des débuts n'était pas due à un amour déçu mais à son extrême tendresse pour Adam : elle redoutait par-dessus tout de le voir de nouveau souffrir.

Lee Chen, aussi, l'acceptait à présent, réservant sa mauvaise humeur pour Joseph avec qui elle se disputait constamment. Sans doute était-elle furieuse qu'il soit amoureux d'une autre femme.

La sérénité ne se voilait donc pour Cat que lorsqu'elle était confrontée aux excès d'autorité d'Adam. Mais malgré sa réprobation, elle acceptait généralement de lui céder. Sans doute avait-elle peur que leur bonheur ne souffre pas la plus légère opposition. Malheureusement, cette docilité, qui n'était guère dans son tempérament, lui laissait quelque amertume. Les petits riens s'ajoutaient les uns aux autres, créant, tout au fond de son cœur, une certaine tension à laquelle elle refusait de prêter attention.

Au fil des jours, Cat avait appris ce que voulait réellement dire Silversinger et pourquoi on avait donné ce surnom à Adam : en travaillant, comme beaucoup de ses semblables, Adam chantait ! Cela avait suffi.

Et depuis quelque temps, il s'ingéniait à inventer des mélodies et des paroles pour la faire rire et dont il lui faisait part lorsqu'elle s'absorbait dans la confection d'un collier qu'elle voulait exposer à Sedona en septembre prochain.

Pour ce bijou, Cat avait employé des obsidiennes d'un brun translucide que les Indiens comparaient à des larmes car ils prétendaient que ces pierres étaient nées de la douleur de leurs ancêtres quand ils avaient dû reculer devant les envahisseurs.

Cet objet devait symboliser la simplicité de l'existence des Indiens, leurs rapports si familiers avec la nature ; Cat y avait aussi mis tout son amour pour Adam.

Un après-midi qu'elle était penchée sur son travail, il vint silencieusement derrière elle.

— Je crois que vous n'avez jamais réussi quelque chose d'aussi beau, lui dit-il gentiment.

A cet instant, Lee Chen, plus rageuse que jamais, entra bruyamment dans la salle.

L'air mauvais et dégoûté, elle vida un sac sur l'établi de Cat. Des bijoux de très mauvais goût s'entassèrent dans un cliquetis de métal.

— Où as-tu trouvé ces horreurs ? demanda-t-il en cherchant une éventuelle signature.

— A Gallup, ce matin.

Cat se sentait désagréablement mise à l'écart de cet entretien.

— Je ne comprends pas... murmura-t-elle comme pour elle seule.

— Moi si! tonna Adam en donnant un violent coup de poing sur l'établi. Où est-il?

— A Kayenta avec Ben, répondit Lee.

Le mystère restait entier.

— De qui parlez-vous? demanda enfin Cat.

— De Joseph. Heureusement, vous allez bientôt avoir un autre apprenti. Lui, c'est fini!

— C'est-à-dire?

— Je ne veux plus de lui à Peshlakai.

— Mais pourquoi? C'est un excellent ouvrier. D'ailleurs, il n'y a aucun nom sur cette pacotille!

— Non, mais si vous vous servez de vos yeux, vous verrez qu'il y a une marque qui ne trompe pas! Qui d'autre que lui sertit ses réalisations de la sorte?

C'était vrai. Le jeune Joseph était même assez fier d'avoir inventé ce procédé.

— Cela ne prouve rien, s'entêta Cat. On peut l'avoir imité et...

— Ne vous fatiguez pas à me défendre, l'interrompit Joseph qui venait d'arriver. C'est bien moi qui ai fabriqué ces objets.

Il paraissait au supplice mais la regardait néanmoins bien en face.

Lee hésita puis, silencieusement, quitta la pièce.

— Ramasse tes affaires, Joseph, lança sèchement Adam. Ce soir, je te ramène chez tes parents.

92

— Je voudrais seulement...

— Rien du tout ! Dépêche-toi.

— Pas si vite ! s'écria Cat. Joseph est mon apprenti. Vous ne pouvez pas le renvoyer sans mon accord.

Un lourd silence suivit. Puis Adam tourna les talons et sortit de la pièce.

Mais la jeune femme le suivit et l'attrapa par la manche.

— Arrêtez !

Plantée devant lui, elle ajouta :

— Comment osez-vous me tourner le dos quand je vous parle ?

Elle tremblait de colère et de peur. Le regard d'Adam lançait des éclairs inquiétants et, brusquement, il l'agrippa violemment par les épaules.

— Ne me défiez jamais de la sorte, tonna-t-il. Jamais plus je n'accepterai d'être ainsi humilié par une Américaine qui se croit tout permis parce qu'elle est une femme !

Le choc fut tel que la colère de Cat se transforma en un immense désespoir. Son monde enchanteur s'écroulait d'un coup ! Elle avait en face d'elle un parfait étranger !

Mais elle n'en continua pas moins à défendre ce qu'elle estimait être juste.

— Vous n'avez pas écouté ses explications ! Vous ne lui avez pas laissé une chance ! Si Joseph s'en va, moi aussi ! ajouta-t-elle, le regard voilé de larmes.

La jeune femme attendit alors la réplique

qui mettrait un terme à son bonheur. Mais, au lieu de cela, elle se retrouva dans les bras d'Adam qui se mit à balbutier des mots d'amour et de douleur.

— Cat... Oh ! Cat... Que nous arrive-t-il ? Je vous aime. Je ne veux pas vous perdre. Surtout pour une bêtise pareille !

Il l'embrassa encore et encore. L'étranger avait disparu, Cat avait de nouveau devant elle l'homme qu'elle aimait, un homme malheureux et désorienté.

— Adam ! Mon amour, murmura-t-elle, je ne voulais pas...

Les mots s'arrêtèrent dans sa gorge. Certes, elle n'avait nullement cherché à l'humilier. Malgré cela, elle refusait l'idée qu'il renvoie Joseph.

Les yeux dans les yeux, ils laissèrent s'écouler d'interminables secondes ; le cœur de Cat battait à tout rompre. Leur avenir était en jeu. Finalement Adam retrouva le sourire.

— Vous avez raison, ma petite fée : nous allons écouter Joseph.

La jeune femme sentit ses craintes se rallumer : si les explications de Joseph ne le satisfaisaient pas, Adam s'en tiendrait à sa décision initiale.

— Nous avons discuté, annonça Adam quand il fut de retour dans l'atelier. Maintenant, à toi. Qu'as-tu à dire pour ta défense ?

— J'ai fabriqué tout cela, il y a plusieurs mois. Je voulais seulement vendre ces objets.

Cat espérait que son apprenti était sincère. Elle aurait donné cher pour que Ramona ne soit pas l'instigatrice de cet incident.

— Bon, finit par dire Adam. Admettons que c'est une vieille affaire. Mais n'oublie pas que tu es ici pour parfaire ton art.

— C'est vrai, renchérit Cat, soucieuse de prouver qu'elle et Adam étaient pleinement d'accord. Tu es un artiste, Joseph. Chaque fois que tu fais du mauvais travail, tu te diminues. A continuer, tu perdrais ta technique aussi bien que ton âme.

— Les bijoux bon marché ne sont pas nécessairement hideux, poursuivit Adam. Regarde les bracelets de Johnny Manygoats, par exemple. Il ne se moque pas des acheteurs, lui ! Même si cela lui rapporte un peu moins d'argent.

Joseph baissa la tête. Devant la colère, il avait fait front ; mais la vérité l'emplissait de honte.

— Excusez-moi, dit-il faiblement.

L'incident était clos ; chacun retourna à sa table de travail et le soir arriva sans que l'atmosphère ne soit ternie par un nouvel incident.

— Je suis épuisée ! lança Cat en s'allongeant sur le lit vers dix heures du soir.

— Je vais vous masser, déclara Adam, joignant le geste à la parole.

— Vous avez l'habitude de monter à cheval, non ? demanda-t-elle en remarquant une nouvelle fois à quel point ses paumes étaient calleuses.

Pas de réponse. Elle leva les yeux et se rendit compte qu'il s'était rembruni.

— J'ai évoqué un mauvais souvenir ?

— Non. Je n'ai aucun souvenir. Ma vie a recommencé le jour où je vous ai rencontrée.

— Pourquoi semblez-vous soucieux, alors ?

— Pour rien.

Il la pressa sur son cœur puis la renversa sur le lit.

— Je vous aime, ma belle fée. Vous êtes à moi pour toujours...

Bouleversée par les caresses qu'il lui prodiguait amoureusement, Cat en oublia ses préoccupations. Et quand il fut endormi à ses côtés, elle s'abandonna à de délicieux rêves d'avenir. Elle avait envie de croire qu'Adam et elle ne se quitteraient jamais...

Chapitre 9

IL FAISAIT TROP CHAUD POUR TRAVAILLER ET MÊME pour se reposer !

Pourtant, dans l'atelier, seule avec Adam, Cat était penchée sur son collier.

— Laissons tout cela et allons nous baigner dans notre grotte secrète de White Ruins Canyon, lança-t-il soudain.

— Pas avant d'avoir terminé les soudures du fermoir.

Cat mettait tout son cœur et toute sa passion amoureuse dans son œuvre. En effet, elle espérait bien remporter un prix à Sedona, pour remercier Adam de toute la confiance qu'il lui avait témoignée.

— D'accord, mais accordons-nous une pause, alors.

Ce disant, il l'attrapa par la taille, l'obligea à se lever et l'embrassa passionnément.

Emportés par le désir, ils en oubliaient la réalité et n'entendirent pas la jeep qui s'arrêtait sous la fenêtre.

— Silversinger! s'écria la jeune femme brune, de type indien, qui en descendit.

Elle portait d'impressionnantes boucles d'oreilles, deux lourds bracelets et des bagues à peu près à chaque doigt.

Derrière elle, apparut un homme très grand et très blond.

— Linda! George! Quel plaisir de vous voir! s'exclama à son tour Adam. Que nous vaut le bonheur de votre visite?

— Il y a une grande fête de l'autre côté de Black Mesa. Nous voulions savoir si l'on vous y verrait. Et puis nous sommes curieux de connaître ta compagne, expliqua George.

— En fait, avoua Linda, nous avions envie d'être les premiers à faire la connaissance de l'heureuse élue. Maintenant nous pourrons clamer sur les toits qu'avant nous ton épouse n'avait rencontré aucun de tes amis.

Adam fit les présentations.

— Cat, dit-il, voici Linda et George Gerish. C'est chez eux que sera exposé votre collier. Ma femme, Catriona Frazer.

Sa femme? Mais que signifiait...

Rouge de confusion, ne sachant que dire, Cat introduisit les visiteurs et s'empressa de leur faire servir du café.

Adam plaisantait, vraisemblablement. Il suffisait de voir son petit sourire malicieux pour s'en convaincre. Mais son humour n'était pas du goût de Cat! Comment pouvait-il la traiter ainsi?

— La semaine dernière, reprit George qui ne se rendait compte de rien, nous avons vendu ta ceinture Condo, Adam ; et ce matin deux des bracelets de ta femme. A un Texan très à l'aise qui a pris vos deux cartes.

Cette excellente nouvelle, les questions de Linda sur son travail en cours, n'apaisèrent que fort superficiellement le malaise de Cat.

— C'est si bon de voir de nouveau sourire Adam, confia Linda à la jeune femme. Il y a si longtemps que cela ne lui était plus arrivé.

— En l'honneur de qui est organisée la fête de ce soir ? demanda Adam.

— Du fils Bluewing, Eric. Il rentre de l'armée.

Cat ne demanda pas d'explications. Elle savait que, lorsqu'un enfant du Peuple revenait au bercail après un long séjour chez les Bellicani, il lui fallait subir toute une série de rites de purification pour le débarrasser des mauvais génies qui risquaient de s'être emparés de son âme.

La cérémonie durait trois jours et les amis ou les étrangers ne pouvaient s'y joindre que le dernier soir pour les libations et les danses.

— Nous irons, annonça Adam.

Cat eut envie de protester. Bien qu'elle soit curieuse d'assister à une fête navajo, elle en voulait à Adam de disposer d'elle sans la consulter. De plus, elle n'avait pas admis qu'il la présente comme son épouse alors qu'ils n'avaient jamais encore évoqué le problème du mariage.

— A tout à l'heure, donc, lança Linda avec un chaleureux sourire. J'espère, ma chère, ajouta-t-elle à l'adresse de Cat, que vous serez très heureuse ici.

Trois minutes plus tard, la jeep repartait.

— Adam, pourquoi prétendre que je suis votre femme ? demanda Cat d'une voix sèche.

— Vous vous êtes rendu compte que nos coutumes sont assez différentes de celles du monde anglo-saxon, n'est-ce pas ?

En effet. Il ne s'agissait nullement pour eux, comme Cat l'avait naïvement cru, d'une existence plus simple et plus proche de la nature que celle des Américains, mais bien d'une autre culture, d'une autre philosophie, d'autres façons de faire et de penser.

— Chez nous, poursuivit Adam, il n'y a pas de cérémonie de mariage. Lorsqu'un homme et une femme vivent ensemble et partagent le même lit, on les tient pour mari et femme. Cela vous ennuie ?

— Non, pas vraiment. Mais il faut que je m'habitue à cette idée.

— Tout le monde sait que nous formons un couple et, ce soir, on vous traitera comme mon épouse.

Ce n'était pas d'être tenue pour sa femme qui troublait Cat. Elle en rêvait depuis des semaines. Mais plutôt d'être déclarée telle sans même avoir été avertie ni consultée. Mais l'instant n'était pas bien choisi pour exiger des explications.

— Avez-vous toujours envie de me suivre à cette fête ?

— Oui. Comment dois-je m'habiller ?

— Personnellement, je trouve que tout vous va admirablement. Mais puisqu'il faut vous répondre, votre jupe rouge et une blouse blanche me paraissent parfaites. D'ailleurs, nous ferions bien de nous préparer. Il y a deux heures de route jusque chez les Bluewing.

Cat acquiesça en souriant. Demain viendrait le moment des questions... Pour l'instant elle voulait seulement se faire belle et profiter de la soirée.

— Vous êtes magnifique, la complimenta Adam quand elle revint dans l'atelier.

Sa jupe, tissée par Lee Chen en un geste surprenant d'amitié, lui descendait jusqu'aux chevilles. Froncée à la taille, elle se terminait par un large volant froufroutant. Sa blouse de fine batiste blanche mettait en valeur la naissance de sa gorge. Pour compléter le tout, Cat portait de fines bottes de daim beige et le collier que lui avait offert Ben.

— Ce qui vous manque, ajouta Adam, ce sont les bijoux.

Cat avait bien conscience, en effet, que les Navajos — hommes ou femmes — avaient coutume de porter leur fortune sur eux et qu'avec sa seule parure elle ne ferait guère honneur à Adam.

— Je sais, répondit-elle, navrée. Si j'avais pensé que nous irions à une fête, j'aurais gardé ces colliers et ces bracelets que j'ai fait porter à Sedona.

Le sourire désarmant d'Adam calma ses inquiétudes. Il était incroyablement séduisant avec son bandeau traditionnel qui lui maintenait les cheveux, sa chemise noire et son jean serré.

— Retournez-vous, j'ai une surprise pour vous, Cat.

Elle obéit et le sentit lui relever les cheveux.

— Que faites-vous ?

— Fermez les yeux.

Il lui retira son collier et le tintement de l'argent l'avertit qu'il en accrochait un autre. Très long et très lourd, il lui descendait presque jusqu'à la taille.

Du bout des doigts, elle essaya d'imaginer comment il était.

Mais Adam ne lui permit de rouvrir les yeux qu'après l'avoir conduite devant le miroir.

La jeune femme fut émerveillée par son présent. C'était un pur chef-d'œuvre ! Une longue chaîne de perles d'argent oblongues, entremêlées de turquoises admirables, supportait une chaîne plus courte d'où descendait un puma des montagnes stylisé.

Si imposant que soit le bijou, il avait une légèreté, une délicatesse qui rappelait fort le travail de Cat.

— Vous voyez ce que vous m'avez appris, mon amour, murmura Adam sans quitter des yeux l'image de Cat dans le miroir.

Sans voix, elle caressait voluptueusement le métal précieux.

— A présent, il vous faut des boucles d'oreilles, ajouta-t-il en sortant un écrin de sa poche. Elles appartenaient à mon arrière-grand-mère qui vous les aurait certainement léguées si elle vous avait connue.

Profondément émue, la jeune femme le remercia d'un baiser. Les mots auraient été inutiles pour exprimer les sentiments qui les attiraient l'un vers l'autre. Ils échangèrent un regard enflammé de désir, s'embrassèrent fiévreusement et le monde réel cessa d'exister pour eux...

Chapitre 10

ENSORCELÉS PAR LA PASSION QU'ILS SE PROUVAIENT l'un à l'autre, Cat et Adam ne virent pas le temps passer. De sorte qu'ils partirent fort en retard rejoindre leurs amis.

Pourtant, à quelques minutes de Peshlakai, Adam arrêta la camionnette près d'un vieil arbre tout tordu que dissimulait presque entièrement un pan de rocher.

— Je voudrais que nous nous aimions ici, déclara-t-il solennellement. Cet arbre est un symbole. Nous l'appelons l'arbre de l'éternité. Quand un homme et une femme se donnent l'un à l'autre sous ses branches, ils sont liés à jamais.

Son tendre baiser s'accompagna d'un profond regard, légèrement voilé d'inquiétude.

— Catriona Frazer, reprit-il avec un sérieux qui surprit la jeune femme, lorsque vous avez accepté de me suivre, vous m'avez prévenu que vous ne vouliez pas vous lier avec moi. Et, lorsque je vous ai présentée à

Linda et George comme ma femme, j'ai lu dans votre regard que l'heure n'était pas encore venue.

Elle allait répondre mais il reprit aussitôt :

— Un jour, quand vous aurez eu tout le loisir de bien y réfléchir, nous reviendrons ici.

Sans un mot de plus, il démarra.

Cat ne savait plus que penser. Son amour pour lui était tel qu'elle était convaincue de ne plus pouvoir se passer de sa présence. Et pourtant, au plus profond de son âme, certaines réticences inexplicables demeuraient. Serait-il raisonnable de s'unir à jamais avec cet homme étrange dont la vie était tellement différente de celle à laquelle elle était habituée ? Saurait-elle s'accommoder du rythme paisible qui régnait à Peshlakai ?

Il serait temps plus tard de réfléchir à ces délicats problèmes. D'ailleurs, ils arrivaient à Black Mesa et la jeune femme se rendit compte que la foule rassemblée là était considérable.

— Ma mère sera peut-être de la fête, dit Adam en aidant Cat à descendre de voiture.

A cette nouvelle, la jeune femme se sentit un peu inquiète. Beatrice Longshadow avait abandonné sa brillante carrière de cantatrice pour retourner vivre comme ses ancêtres ; savait-elle que son fils vivait avec une Bellicani ? Qu'en pensait-elle ?

— Et votre père ?

— Si ma mère a choisi de vivre dans le désert, de tisser ses vêtements et de couper son bois en dépit d'une arthrite sévère qui demanderait des soins plus appropriés que ceux que nous offre la tradition, lui est resté à Phoenix, dans son appartement ultra-moderne, entre sa télévision, son four à micro-ondes et son bassin d'eau chaude bouillonnante ! Il y a peu de chance de le rencontrer ici !

— Vous êtes bien difficile à satisfaire ! Vous vous plaignez que votre mère ne fasse pas appel aux ressources de la médecine moderne et vous reprochez à votre père de profiter de notre technologie.

— C'est vrai, reconnut Adam avec une certaine amertume. Vous savez, le Peuple est réputé pour faire sien tout ce qui l'arrange, mais je trouve qu'il doit choisir avec soin et discernement.

Cat éprouvait un vague sentiment de malaise. Qu'adviendrait-il s'ils n'étaient pas d'accord sur ce qu'il y avait de bon et de mauvais dans le monde extérieur ?

L'arrivée de Joseph mit un terme à ses troublantes questions.

— Pourquoi arrivez-vous si tard ? Vous êtes venus à pied ? Cat a-t-elle dû se battre contre un beau puma ?

Ravi de sa plaisanterie, Joseph riait à

gorge déployée mais Cat avait rougi jusqu'à la racine des cheveux.

— Venez, ma petite fée! s'exclama Adam. Il faut que je vous fasse connaître mes amis.

Il la présenta à tant de monde que bientôt elle mélangeait tous les noms.

Par bonheur Adam restait auprès d'elle, contrevenant aux usages qui voulaient que femmes et hommes s'amusent chacun de leur côté.

— Silversinger! s'écria un jeune homme mince en venant vers eux. Tu es trop laid pour avoir à ton bras une pareille beauté. Elle devrait être avec moi!

— Tais-toi donc, épouvantail! Tu ne sais pas ce que tu dis.

Tout le monde éclata de rire mais malgré la gaieté générale, Cat n'approuva guère cette plaisanterie douteuse. Elle fit semblant de s'absorber dans la contemplation d'un feu quand, soudain, des bruits de dispute attirèrent son attention. Lee et Joseph, une fois de plus, se querellaient.

— Je t'ai déjà demandé cent fois de ne pas te mêler de mes affaires, hurlait Joseph.

Lee lui tourna le dos et se heurta involontairement à Adam.

— Que se passe-t-il, encore?

— Joseph est vraiment trop bête! Il a failli être renvoyé à cause de Ramona Bluewing. Et maintenant elle danse avec un type de Window Rock!

108

— En quoi cela te concerne-t-il ?

Sans satisfaire sa curiosité, elle s'éloigna. Adam interrogea Cat du regard.

— J'ai bien l'impression que mon pauvre apprenti est pris entre la chèvre et le chou ? Cela ne va pas être drôle pour lui.

Apparemment, Adam attendait davantage d'explications mais il resta sur sa faim. Cat ne voulait pas trahir Lee et se désolait qu'elle ait porté son choix sur Joseph et risque de terribles désillusions.

— Ne prenez pas cet air triste, Cat ! La fête va commencer.

La partie de la cérémonie à laquelle elle était autorisée à assister comportait essentiellement des incantations, des danses d'hommes en costumes traditionnels, et des chants dont Adam lui traduisit au fur et à mesure les paroles.

Vinrent ensuite les réjouissances proprement dites.

— Vous allez danser avec nous ? demanda une invitée à la jeune femme.

Admirative du courage de Cat qui venait d'avaler un verre d'alcool indien sans broncher, elle voulait tester l'ensemble de ses facultés d'adaptation.

— Certainement pas, répondit Cat, qui n'avait aucune envie de se donner en spectacle.

— De toute façon vous ne pouvez pas, intervint Lee. C'est réservé aux jeunes filles.

La vieille Chevaux Ailés, ajouta-t-elle, en entraînant Cat à l'écart, m'a demandé si vous attendiez un bébé. Elle n'hésitera pas à vous poser la question devant tout le monde. J'ai préféré vous prévenir.

— Je vous remercie !

— Quand vous êtes arrivée à Peshlakai, j'ai été odieuse. Je regrette... J'espère que vous me pardonnez...

— Mais oui ! Le passé est le passé !

Rassurée, Lee enchaîna :

— Je vais obliger Joseph à danser avec moi. Oh ! Cat ! Voici Wayne Yazzie, le médecin qui fait ses études dans votre région et dont la femme d'Adam avait refusé d'écouter les conseils.

Cat était tout heureuse de bavarder avec quelqu'un qui connaissait et aimait sa région. Ils se découvrirent même des relations communes.

De fil en aiguille la conversation devint plus personnelle et Cat se laissa aller à des confidences sur ce qu'elle pensait de la vie dans la réserve.

— Et Adam, demanda le jeune médecin, il s'est enfin décidé à se faire opérer les mains ? Ah ! Le voilà ! ajouta-t-il en lui prenant la main gauche et en l'examinant, navré.

Cat n'en revenait pas de stupeur et d'inquiétude.

— Que vous arrive-t-il ? cria-t-elle presque. Je croyais...

Désespérée, elle se tourna vers Wayne.

— Ces tendons saillant au creux de sa main auraient dû être opérés depuis longtemps, expliqua-t-il. Adam, tu ne peux pas rester comme ça. Ta main commence à se refermer et la circulation se fait mal dans l'annulaire.

Fou de rage, Adam s'éloigna brusquement. Cat le suivit.

— Adam ! Je veux savoir.

— Wayne est trop bavard, grommela-t-il. Oui, je fais du cheval, mais cela n'a rien à voir. Ce sont mes mains qui sont mal faites ! Les tendons, poursuivit-il d'une voix blanche, sont protégés par des gaines dans lesquelles ils s'allongent ou se rétractent. Parfois, pour une raison inconnue, ces gaines adhèrent aux tendons et les empêchent de faire leur travail. Cela arrive surtout à ceux qui font des gestes répétitifs : les dactylos, les soudeurs, les rémouleurs...

— Oh ! Adam !

Elle était tellement malheureuse pour lui qu'elle en avait la nausée. Pas lui ! Il ne pouvait pas perdre l'usage de ses mains et ne plus travailler !

— Que peut-on faire ?

— Opérer. D'après Wayne, en général, c'est efficace. Sinon, il affirme que tôt ou tard mes mains se recroquevilleront. Il est très savant, ce jeune homme, et très sûr de lui. Mais ce sont mes mains, pas les siennes !

111

— Mais Adam...

Il ne voulait rien entendre et alla se perdre parmi ses amis.

— Désolé, je ne voulais pas créer un incident, intervint le jeune médecin qui venait de la rejoindre.

— Je ne comprends pas. Pourquoi ne se fait-il pas opérer puisque c'est quasiment vital ?

— Etes-vous si éprise d'Adam que vous ne vous rendiez pas compte qu'il a peur ? Peur d'un imprévu qui lui ôterait l'usage de ses mains ! Vous mieux que personne devez savoir que, s'il ne pouvait plus travailler l'argent, il en deviendrait fou.

— Est-ce si dangereux ?

— La main est un outil très perfectionné mais très compliqué et délicat. Jusqu'à présent, je n'ai vu que des réussites mais une hémorragie ou une infection sont toujours possibles ; en chirurgie, il n'existe pas d'absolue certitude.

— Mais il faut quand même le faire ?

— Oui. Ses mains sont déjà en piteux état. La gauche n'a plus toute sa mobilité, la droite va suivre. Cela prendra des années, bien sûr, mais la maladie peut aussi évoluer très vite. Je vous en prie, essayez d'user de votre influence pour qu'il se soigne.

— J'essaierai, promit-elle. Mais c'est un entêté.

— Je sais.

Sur ces entrefaites, Cat partit à la recherche d'Adam.

En compagnie d'un homme, il s'apprêtait à monter un cheval à cru et avant que la jeune femme ait pu demander la moindre explication, les deux cavaliers avaient démarré en trombe.

— Que se passe-t-il ? demanda-t-elle à Joseph qui s'était mêlé aux spectateurs.

— Une course, répondit-il laconiquement en évitant de la regarder.

Pressentant quelque mystère, peut-être lié à sa personne, Cat se mit en quête d'un témoin plus explicite. Elle aperçut Lee mais dès que la jeune fille la vit approcher, elle s'esquiva. Ce qui n'était guère rassurant.

Les cavaliers revenaient, plus rapides que le vent, harcelant leur monture comme si leur vie en dépendait. Dans un nuage de poussière et sous les vivats de la foule, Adam arriva le premier. Son concurrent le suivait de près.

Descendus de cheval, les deux hommes se serrèrent la main et Cat reconnut le jeune homme qui s'était permis de plaisanter à son sujet tout à l'heure.

Elle s'approcha juste à temps pour l'entendre dire en anglais :

— Tu as vraiment de la chance, sacré Adam !

Et un doigt pointé en direction de Cat, il répéta :

— Vraiment de la chance !

— J'imagine que vous êtes contente qu'il ait gagné, déclara une spectatrice à la jeune femme. Je ne pense pas que vous ayez envie de quitter Silversinger.

— Pourquoi devrais-je le quitter ? s'étonna Cat, inquiète du regard rieur de son interlocutrice.

— Si l'autre avait été le vainqueur, vous auriez dû le suivre chez lui. Vous étiez l'enjeu de la compétition.

Cat n'en croyait pas ses oreilles ! Elle était tellement furieuse qu'elle en aurait hurlé. Une sorte de nuage lui obscurcissait la vue. Les poings sur les hanches, elle fendit la foule et se planta devant Adam.

— Moi, l'enjeu d'une course ? Comment osez-vous ? Comment avez-vous pu ?

Et elle ponctua son indignation de coups martelés sur les épaules de son compagnon.

— Pourquoi cette rage ? J'ai gagné, non ? Quelle importance ?

Ravis, les spectateurs ne perdaient pas une miette de la scène. Une réflexion du vaincu mit le comble à l'hilarité générale.

Désespérée et hors d'elle, Cat voulut fuir mais Adam la rattrapa et la souleva de terre.

— Ce n'était qu'une plaisanterie, petite fée, un exemple de l'humour navajo !

— Qui me déplaît souverainement. Laissez-moi. Je veux rentrer !

Adam se tourna vers ses amis et déclara :

— Si vous voulez bien m'excuser, je m'en vais. Ma nouvelle épouse est très impatiente de regagner notre foyer.

Sans autre forme de procès, il chargea Cat sur son épaule et fendit la foule.

— Vous n'êtes pas en état de conduire, vous êtes saoul, grommela-t-elle quand ils approchèrent de la camionnette.

Il se contenta de sourire, de l'installer à sa place et de se mettre au volant. Il démarra dans un assourdissant fracas de klaxon, faisant de grands signes d'adieu à ceux qu'il abandonnait si tôt.

Au bout d'un moment Cat se convainquit qu'il partait dans la mauvaise direction.

— Arrêtez ! lui dit-elle, vous vous trompez de route.

— Ah ?

Il vira de bord, à angle droit, sans ralentir une seule seconde.

Cat n'en menait pas large. Evidemment dans ce désert il n'y avait probablement rien de bien dangereux. A moins de tomber dans un fossé dissimulé par l'obscurité.

— Adam, je vous en prie, laissez-moi le volant !

— D'accord.

Mais il ne s'arrêta pas. Ne freina même pas.

Peu à peu, le vent frais de la nuit sembla le calmer légèrement. Mais Cat, qui rêvait de se réfugier dans sa chambre et de pleurer toutes les larmes de son corps, avait l'impression d'être en route depuis des heures.

— Adam, nous sommes perdus, finit-elle par affirmer.

— Je croyais que nous approchions de Peshlakai. Mais vous devez avoir raison. Il ne nous reste qu'à passer la nuit ici.

Il se cala sur son siège, renversa la tête en arrière et, deux minutes plus tard, il dormait !

Cat aurait pu essayer de conduire, mais elle ne savait pas où aller. Force lui fut donc de prendre son mal en patience.

Elle se souvint qu'à l'arrière il y avait des couvertures. Après quelque hésitation, elle couvrit Adam, puis à son tour s'installa le moins mal possible.

A la lueur de la lune, elle considéra longuement son compagnon. Pour la première fois, son beau profil de médaille ne l'émouvait pas. Pire ! Elle avait envie de le gifler.

Insensible aux tourments qui agitaient la jeune femme, il rêvait tranquillement !

Une seule pensée la réconfortait un peu : l'espoir que, le lendemain matin, il serait perclus de courbatures !

Chapitre 11

PEU AVANT L'AUBE, CAT SE RÉVEILLA DANS UN monde lunaire et désertique, où seule une légère brise troublait l'immobilité.

Elle secoua Adam qui ouvrit aussitôt les yeux. Pour un homme qui avait autant bu, il paraissait très en forme. Cat n'aurait pu en dire autant : elle avait mal partout.

Il s'étira longuement comme s'il avait passé une excellente nuit dans le meilleur des lits et lui sourit.

— Calmée, petite fée ?

— C'est à moi de poser des questions, non ? Où sommes-nous ?

— Je pensais que nous approchions de Peshlakai mais vous m'avez affirmé le contraire.

Il avait fait de louables efforts pour ne pas éclater de rire, mais ne put se contenir plus longtemps.

Il n'en fallait pas plus pour réveiller la fureur de Cat.

— Où sommes-nous ? répéta-t-elle rageu-sement.

Elle était profondément blessée. Il l'avait ridiculisée devant ses semblables, son Peuple. Et même si ce n'était qu'une plaisanterie — ce dont elle n'était en rien convaincue —, elle ne s'en sentait pas moins une étrangère, à jamais différente de tous ces gens.

Elle ne dit plus un mot, ni lorsqu'il démarra ni lorsque, ayant franchi une petite butte, elle découvrit Peshlakai à leurs pieds.

Ce n'était pas l'envie de crier sa colère qui lui manquait mais la force. Elle était rom-pue. Moralement et physiquement.

Non content de s'être moqué d'elle en public, Adam l'avait prise au mot alors qu'elle prétendait qu'ils s'étaient perdus. Il lui avait fait passer la nuit dans la camion-nette ! Et par-dessus le marché, lui était frais comme une rose !

Aussitôt la voiture arrêtée, elle se précipita dans l'école et claqua violemment la porte derrière elle.

— Voyons, Cat, dit Adam en la rattrapant aussitôt, qu'est devenu votre sens de l'hu-mour ?

Elle courut pour lui échapper, entra en trombe dans leur chambre et voulut lui barrer la route. Mais il fut plus prompt qu'elle.

— Je vous ai juré, reprit-il avec une ombre d'agacement, que cette course était un jeu.

Pour qui me prenez-vous ? Pour un Indien de cinéma prêt à vendre sa femme pour un rang de perles ou un cheval ?

Il s'approcha d'elle, la prit par les épaules mais la jeune femme demeura de marbre.

— Laissez-moi, je vous en prie.

— Cat !

Il avait parlé d'une voix si humble qu'elle hésita un instant. S'il n'avait rien ajouté, leur querelle aurait pu s'arrêter là.

Mais gagné par l'exaspération, il poursuivit :

— Voyons, Cat, ne vous comportez pas de manière si enfantine.

Il en avait trop dit !

— Enfantine ? Comme l'Américaine corrompue que je suis ? Et bien, je suis fière de ma nationalité. Dans ma région, je n'ai jamais été l'enjeu d'une course ni la cible d'une plaisanterie collective. Et personne ne m'avait encore jamais portée comme un chiffon sur son épaule devant des centaines de gens hilares !

— Et vous ? Devant les miens, vous m'avez insulté, frappé, même !

Adam était aussi indigné que Cat.

— N'oubliez pas que les choses sont différentes ici, reprit-il. Nous ne sommes pas dans une ville des Etats-Unis. Les Navajos ont leur manière à eux de concevoir la vie. Si vous ne l'acceptez pas, vous n'aurez pas votre place ici. Il est temps de vous en convaincre.

L'atmosphère devenait presque angoissante.

— Soit, déclara la jeune femme après un long silence.

Son agitation était tombée. Mais son calme était plus inquiétant que sa rage.

— Ici, tout va dans un seul sens. Le vôtre !

Elle allait sortir mais il l'en empêcha.

— Que signifie cette remarque ?

— Que tout marche à merveille tant que l'on se plie à votre volonté.

Brusquement tous les incidents mineurs de leur vie quotidienne lui revenaient en mémoire.

— Pas toujours. J'ai cédé à propos de Joseph. J'ai perdu la face en revenant sur ma décision.

— Allons donc ! Vous aviez tort et vous le saviez. Et c'est la seule et unique fois où vous avez accepté un compromis. Vous êtes habitué à ce que Maria, Lee et Joseph soient en pâmoison devant vous. Vous ne supportez pas la moindre contradiction.

— Je suis chez moi, dans mon école, c'est moi qui fais la loi. Si cela ne vous plaît pas, vous pouvez partir.

— C'est probablement ce que j'ai de mieux à faire, Silversinger, répondit-elle doucement, employant son surnom pour la première fois. Moi, je ne suis pas d'ici. Je ne m'habituerai jamais à votre vie car je ne peux pas constamment céder quand nous ne sommes pas du même avis. Apparemment, nous nous sommes tous les deux trompés sur le compte l'un de l'autre.

Les propos de la jeune femme dépassaient ses intentions. Mais elle n'en pouvait plus. Aussi aurait-elle dit n'importe quoi pour donner libre cours à son exaspération. En même temps, bien sûr, elle espérait secrètement qu'Adam modifierait son attitude, qu'il la prendrait dans ses bras pour l'apaiser, que ce cauchemar s'achèverait enfin.

— J'aurais dû m'en douter, déclara-t-il sèchement. Vous n'avez pas le courage qu'il faut pour habiter ici. L'existence y est trop dure pour la pauvre Catriona Frazer ! Qu'êtes-vous donc venue faire ici ?

Il ne se fâchait pas ; il était seulement méprisant. Il l'agrippa par les épaules et la serra jusqu'à ce que la douleur oblige Cat à lever les yeux vers lui.

— Une enquête sociologique ? Une étude sur la vie primitive ? Ou est-ce seulement la curiosité qui vous a poussée à entreprendre cette petite visite ?

Il la relâcha si brusquement qu'elle en tituba. Encore une fois, un inconnu se dressait devant elle. Un inconnu, dur, bouffi d'orgueil et fou de rage.

Elle le gifla.

— Vous n'êtes qu'un lâche et vos propos

sont impardonnables. Je m'en vais tout de suite !

Elle sortit sa valise de l'armoire et commença à la remplir.

— Lâche, moi ? Qui de nous deux veut fuir ? Comment osez-vous me qualifier ainsi ?

Ils se défièrent du regard. Aucun des deux n'était prêt à la moindre concession. Retranchés derrière le mur de leur orgueil blessé, ils étaient incapables de revenir en arrière.

— Encore une chose, Adam : vous méprisez votre père parce qu'il aime le confort mais vous en voulez à votre mère d'avoir choisi une vie trop dure pour elle. Vous êtes à mi-chemin entre deux mondes et n'avez pas le courage d'appliquer, pour vous, ce que vous prêchez aux autres. Vous n'avez jamais pardonné à Teresa de ne pas s'être fait opérer mais avez peur de confier vos mains à un chirurgien. C'est pourtant indispensable. Vous préférez risquer leur détérioration définitive...

Adam ploya sous ce flot de paroles comme sous une lame de fond.

— Pourquoi êtes-vous venue ? répéta-t-il en hurlant. Pourquoi a-t-il fallu que je pose les yeux sur vous ?

Devant le désespoir manifeste qui s'emparait de lui, Cat se sentit fléchir.

— Oh ! Adam, gémit-elle, je suis désolée ! Je ne pensais pas ce que j'ai dit !

Elle avança la main vers lui mais Adam se déroba brusquement.

Consternée, elle passa devant lui et gagna l'atelier. La douleur de son compagnon la rendait malade mais son orgueil lui interdisait de tenter une seconde fois de l'apaiser.

Avec des gestes d'automate, elle se rendit dans l'atelier et commença à ranger ses outils. En apercevant le collier sur lequel elle avait travaillé avec tant de passion, ses sanglots éclatèrent, irrépressiblement. Elle avait mis tout son amour pour Adam dans cet ouvrage.

— Emportez ce bijou, lança Adam d'une voix coupante.

Cat sursauta. Elle ne l'avait pas entendu entrer.

— Prenez tout ce qui vous appartient et disparaissez. Je ne veux rien ici qui me rappelle que vous y soyez jamais venue !

Cat eut l'impression que son cœur se glaçait affreusement. Elle dissimula son chagrin, vérifia qu'elle n'avait rien oublié mais laissa le collier. Les pierres et l'argent appartenaient à l'école ; d'ailleurs, pour rien au monde elle ne l'aurait emporté. Il évoquait trop de souvenirs douloureux.

Restait à trouver les outils prêtés à Joseph. Elle fouilla dans le tiroir de son établi et, par inadvertance, fit tomber une pochette de velours d'où s'échappèrent des douzaines d'objets hâtivement fabriqués et du plus mauvais goût.

— Voilà ce qu'on gagne à vous écouter, ma chère, dit Adam en ramassant un affreux bracelet.

Cat avait fait confiance à son apprenti et elle avait eu tort. C'était le pire moment pour s'en apercevoir !

Des bruits de pas lui firent tourner la tête. Joseph, suivi de Lee, était sur le seuil.

— Je prends mes affaires et je m'en vais, dit-il calmement tandis que, dégoûté, Adam se détournait de lui.

Joseph ne présenta aucune excuse, ni ne donna aucune explication. Il prit ses outils, récupéra ce qui était par terre et, la tête haute, quitta l'atelier.

Lee, terrifiée et suppliante, se précipita sur Adam.

— Silversinger, c'est entièrement la faute de Ramona. Cette mauvaise femme parle sans cesse de grandes maisons, de luxe et de confort. Mais Joseph est bon, lui, et il a enfin compris que Ramona n'est pas pour lui. Il fait ces bijoux pour lui faire plaisir mais, hier soir, il a décidé de les détruire. Il attendait que Cat et toi soyez sortis pour les fondre.

— Inutile, répondit Adam en écartant la jeune fille. Joseph était prévenu qu'il n'y a pas de place ici pour quelqu'un qui trahit ses origines et ses principes pour de l'argent. Une fois, à mon corps défendant, je lui ai laissé une chance. Voilà comment il m'a remercié de ma confiance !

Le ton n'admettait aucune réplique, son regard aurait glacé le sang de n'importe qui.

— Vos efforts ne serviront à rien, ma pauvre Lee. Il est parfaitement vain de demander à Adam de pardonner. Il ne sait même pas ce que le mot veut dire.

— Je ne l'ai jamais vu aussi en colère, murmura Lee lorsque Adam fut parti. Cat, ajouta-t-elle les yeux pleins de larmes, faites quelque chose pour Joseph, je vous en prie !

— Je ne peux pas. Je ne peux même rien pour moi ! Mais regardez : Joseph revient.

— Lee Chen, commença-t-il avec une certaine solennité, tu t'es montrée une vraie amie. Tu m'as défendu. Je pars, le cœur navré. Jamais je n'oublierai les mois passés ici avec mon amie Lee Chen.

Lee était trop timide ou trop émue pour répondre. Elle le contempla longuement, puis, silencieuse et rapide, s'en alla sans ajouter un mot.

— Catriona Frazer, reprit Joseph, vous m'avez beaucoup appris ; de cela aussi je me souviendrai.

Elle prit la main qu'il lui tendait.

— Vous aussi, Joseph, vous m'avez communiqué votre savoir. Vous avez beaucoup de talent. Qu'allez-vous faire, maintenant ? Où irez-vous ?

— J'ai besoin de quitter la réserve un

certain temps. Un cousin de Flagstaff m'accueillera. Après je retournerai chez mes parents. Et vous ?

— Moi ?

N'importe où ferait l'affaire pourvu que ce soit loin de Peshlakai.

— Je rentre chez moi, répondit-elle machinalement.

Chapitre 12

CAT ETAIT RETOURNÉE DANS LE MICHIGAN SANS BUT précis, soucieuse seulement de s'éloigner le plus possible d'Adam.

Elle s'était réinstallée chez Angelica mais passait ses journées dans la montagne, dans un chalet prêté par Mabel.

Elle espérait qu'ainsi perdue au milieu des arbres et des prés qui lui avaient tant manqué, elle reprendrait goût à l'existence. Mais au fil des jours, elle devait se rendre à l'évidence : rien ne lui permettait d'oublier les images obsédantes d'Adam et de Peshlakai.

Le soir, quand elle se retrouvait seule dans son lit, le souvenir de leurs nuits d'amour passionnées devenait insupportable.

L'image d'Adam était alors si réelle, si tangible qu'elle avait l'impression de sentir la chaleur de ses mains sur sa peau. Elle se revoyait avec lui à White Ruins Canyon, plongeant dans le lac souterrain, parlant gaiement sur la petite plage à demi couverte de mousses.

Et immanquablement, elle éclatait en sanglots et pleurait jusqu'à ce qu'enfin elle sombre dans le sommeil.

Quatre semaines passèrent ainsi sans apporter la moindre amélioration à son état.

— Si tu l'aimes autant qu'il y paraît, déclara un matin Angelica, pourquoi n'oublies-tu pas ton orgueil et ne lui écris-tu pas ? Faire le premier pas ne te tuera pas !

— Je sais. Et tu aurais raison si nous nous étions simplement disputés. Mais il s'agit de bien autre chose. Nous appartenons à deux mondes différents et sans doute inconciliables.

— Et alors ? Quelle importance, si tu l'aimes ? Si l'homme de ta vie était français, turc ou chinois, tu le suivrais sans te poser la question. C'est la même chose.

Cat fut sensible à la qualité de ces arguments. Avant toute chose, Adam était le plus cher de ses compagnons. Aussi devait-elle lui écrire pour éclaircir la situation. Elle prit une plume et rédigea le texte suivant :

« Adam,

« Jamais je n'aurais imaginé que notre histoire se terminerait de la sorte. Je ne voulais pas vous blesser ; je vous en prie, croyez-moi. Et si vous le pouvez, oubliez les mots que j'ai prononcés sous l'empire de la colère. »

Bien sûr, elle ne faisait aucune allusion à

l'avenir. Pour ne pas souffrir d'un éventuel refus. Mais Adam saurait lire entre les lignes et, s'il voulait encore d'elle, lui tendrait la main.

Et s'il ne voulait ni plier, ni changer ? Pensait-il vraiment les insultes qu'il avait proférées le dernier jour ? La tenait-il réellement pour une Américaine corrompue qui ne s'accommoderait jamais de son genre de vie ?

Questions trop pénibles qu'elle écarta. Mieux valait patienter avant d'imaginer les hypothèses les plus négatives.

Durant les trois semaines qui suivirent, elle surveilla anxieusement la boîte aux lettres. En vain. Alors, elle se plongea dans le travail et se mit à fabriquer des bijoux pour une exposition.

Elle y mit toute sa passion, tout son désespoir et utilisa des pierres qui habituellement ne lui convenaient pas. Des agates, des jaspes délicatement veinés dont les couleurs évoquaient le haut plateau de l'Arizona. Et les jours s'écoulèrent sans qu'aucun incident ne vienne rompre le cours monotone de son existence.

Cependant, un après-midi d'octobre où elle n'attendait personne, l'on frappa à sa porte. Cat fut toute surprise de se trouver face à face avec une grande femme brune, extrêmement élégante. Les yeux bleus dans ce visage basané, les pommettes hautes, le nez aquilin, la bouche pulpeuse et bien dessinée, ne laissaient aucun doute. La jeune femme reconnut immédiatement la mère d'Adam.

— Bonjour, mademoiselle. Je suis Beatrice Longshadow.

Cat la fit entrer et lui offrit un thé glacé.

Pourquoi cette femme qui, aux dires de son fils, ne quittait plus jamais la réserve, était-elle là ? Etait-ce Adam qui l'avait envoyée ?

— Mon fils m'a convaincue de participer à un concert au bénéfice de l'Association des arthritiques, expliqua-t-elle. De plus, je suis chargée de vous transmettre un message.

D'Adam ! Les battements du cœur de Cat s'accélérèrent.

— George et Linda Gerish m'ont priée de vous inviter à venir au vernissage de leur exposition, la semaine prochaine. Votre client texan sera là et Linda prétend qu'il ne vient que dans l'intention de vous rencontrer et de vous acheter vos bijoux.

Tous les rêves de Cat s'évanouirent. Bien sûr, cet apport financier n'était pas négligeable ; quelques semaines plus tôt, elle en aurait même été folle de joie, mais maintenant cela l'intéressait à peine.

— J'ai autre chose à ajouter, reprit Beatrice Longshadow avec un regard qui alla droit au cœur de la jeune femme. Pour mon compte personnel, cette fois. Je devine que vous êtes pleine de fierté. Mon fils aussi.

Mais il a besoin de vous, Catriona Frazer. Pourtant, jamais il ne vous appellera. Allez le trouver. De votre propre chef.

Elle fouilla dans son sac, en sortit une boîte qu'elle remit à Cat.

— Ceci vous appartient, je crois.

Puis, sans un mot de plus, elle se leva et avec la même grâce silencieuse que son fils, quitta la maison.

Une fois seule, Cat ouvrit la boîte et y découvrit le collier et la ceinture qu'Adam lui avait offerts.

Rêveuse, elle les contempla et se passa le collier autour du cou.

Tous les souvenirs qu'il pouvait évoquer lui revinrent en mémoire : son émerveillement la première fois qu'elle l'avait vu, les baisers d'Adam, leur après-midi de passion...

Elle ne pouvait continuer à vivre ainsi, loin de lui, amputée d'une moitié d'elle-même ! C'est seulement en sa compagnie qu'elle avait le sentiment d'exister.

Pourquoi n'avait-il pas joint le moindre mot à son paquet ? se demanda-t-elle brusquement. C'est qu'il ne l'aimait pas !

Alors qu'elle avait ravalé son orgueil en lui écrivant, il n'avait même pas répondu ! Pourquoi ? Pourquoi le collier et quand même le silence ?

Elle en était là de ses tristes réflexions lorsque Angelica rentra, suivie de Mabel.

— Mon Dieu, s'écria cette dernière, en

apercevant les bijoux de Cat. Quelles merveilles ! Dè purs chefs-d'œuvre !

Elle retourna la boucle de ceinture et découvrit la signature d'Adam.

— Quand vous êtes partie pour l'Arizona, reprit-elle sur un ton grave, j'ai bien cru qu'on ne vous reverrait jamais ici sauf pour d'occasionnelles expositions. Que s'est-il passé ?

Touchée par sa sollicitude, Cat raconta son histoire.

— En somme, commenta Mabel, vous l'aimez passionnément mais vous n'êtes pas sûre qu'il en soit de même pour lui. C'est souvent ainsi, vous savez. Les hommes sont des êtres mystérieux, impénétrables même. Et pourtant, ils sont capables d'éprouver les sentiments les plus violents.

Les paroles de Mabel ne rassurèrent nullement Cat. Elle voulait tout savoir d'Adam, tout partager à égalité avec lui.

Une fois au lit, la jeune femme crut devenir folle. Si Adam avait besoin d'elle, s'il l'aimait, pourquoi ne le lui faisait-il pas savoir ? Sa pudeur et son orgueil l'empêchaient-ils de se confier ?

Cat devait-elle rejoindre Adam ou rester sur ses positions ? Sa fierté et ses craintes faillirent être plus fortes que son amour. Mais l'horrible solitude dans laquelle elle se débattait lui était devenue insupportable. Et peu avant l'aube, elle se décidait à partir.

Elle irait à Sedona. Adam s'y trouverait sans doute. Après, il lui reviendrait de prendre l'initiative. Elle aurait fait la moitié du chemin, un peu plus même...

Pour la première fois depuis des semaines, Cat s'endormit du sommeil du juste !

Chapitre 13

CAT ARRIVA À SEDONA LA VEILLE DU VERNISSAGE DE l'exposition chez les Gerish. En fait, le jour où le jury décernait les récompenses. Mais cela se passait en petit comité et la jeune femme demeura à l'écart des délibérations.

Le lendemain matin, elle se réveilla à l'aube. Elle ne tenait plus en place. Dans quelques heures, elle reverrait Adam et saurait sans nul doute ce qu'il adviendrait de leur avenir.

Après avoir erré comme une âme en peine en attendant que le soleil se soit vraiment levé, elle se prépara avec un soin tout particulier : une robe de cotonnade brodée blanc sur blanc pour laquelle la ceinture offerte et renvoyée par Adam semblait faite.

En voyant qu'elle portait sur elle ce gage d'amour, il comprendrait sûrement quels sentiments l'animaient à son égard.

Comme toujours lorsqu'elle allait travailler, elle se fit un lourd chignon, en nourrissant le secret espoir qu'Adam s'empresserait de le lui défaire.

Jamais elle n'avait été aussi anxieuse.

Quand elle entra dans le magasin de George et Linda, la foule s'y pressait déjà : de simples curieux aussi bien que des acheteurs en quête d'une bonne occasion.

— Catriona ! s'écria George dès qu'il l'aperçut.

Ravi de la voir là, il se précipita vers elle et l'embrassa avec effusion.

— Voyons, George, s'indigna Linda, ce n'est plus une petite fille ! Vous savez, Cat, vos bracelets ont remporté le second prix !

Naturellement, Cat avait espéré la récompense suprême, mais ce résultat lui parut encourageant.

Ses bijoux étaient en bonne place, exposés sur un plateau de velours noir et éclairés par un puissant projecteur ; le ruban vert qui les accompagnait témoignait de la décision du jury.

L'objet qu'elle préférait était une sorte de serpent si souple et si élégant qu'on aurait pu croire qu'il allait se mettre à avancer.

— Venez, lui dit George, nous vous réservons un autre sujet de fierté.

Il l'entraîna vers une vitrine murale au milieu de laquelle trônait une paire de bracelets incrustés de minuscules coraux soulignés d'un fil d'or.

Le créateur de ces bijoux originaux et admirablement travaillés n'était autre que Joseph Osborne et il avait reçu le troisième prix.

Une main brune se posa timidement sur l'épaule de la jeune femme.

— Soyez la bienvenue, lui dit son ancien apprenti. Cela fait plaisir de vous revoir ici. Comptez-vous y rester ?

Elle marmonna quelques mots de remerciements incompréhensibles ; une seule question avait de l'importance et lui brûlait les lèvres :

— Est-ce que Silversinger est là, lui aussi ?

— Non, répondit Joseph d'un air gêné. Il ne quitte plus guère la réserve maintenant.

— Vous l'avez revu depuis que nous avons quitté Peshlakai ?

— Bien sûr. Je suis rentré au bercail trois semaines après.

— Adam vous a repris ?

— En fait, il m'a demandé de revenir.

Quelqu'un fit signe à Joseph et, ravi d'échapper à l'interrogatoire de Cat, il s'esquiva.

Elle n'était d'ailleurs pas mécontente de se retrouver seule, des larmes lui piquaient les yeux et elle ne voulait pas se donner en spectacle.

Adam avait demandé à Joseph de reprendre sa place mais n'avait pas daigné lui répondre, à elle !

Sans se faire remarquer, elle quitta le magasin et alla se réfugier dans une petite cour déserte et inondée de soleil, où seuls les gargouillements d'une fontaine troublaient le silence.

En proie aux doutes les plus déprimants, elle ne savait plus que penser ni que croire. Elle avait imaginé que seul l'orgueil empêchait Adam de lui faire signe. Vision erronée qui, apparemment, ne correspondait pas à la réalité.

Pourquoi était-elle venue en Arizona ? Décision stupide !

Elle ne comptait plus pour lui ! Il avait reculé devant l'effort de faire quelques centaines de kilomètres pour la voir alors qu'elle avait traversé tout le pays dans l'espoir de se réconcilier avec lui ! Evidemment son voyage n'était pas totalement inutile, sa participation à l'exposition non plus. Elle avait obtenu un second prix et le client texan avait annoncé sa visite. Pour quelle heure, au fait ?

Cat mit un peu d'ordre dans sa tenue, lissa son chignon et, espérant que les larmes n'avaient pas laissé trop de traces, retourna à la boutique, presque déserte, à présent. Les clients étaient partis déjeuner.

— Que vous arrive-t-il ? s'étonna Linda,

en l'entraînant dans son bureau. Vous êtes toute pâle !

— Trop de soleil, mentit Cat.

— Allons nous restaurer, cela vous fera du bien.

Cat n'avait pas vraiment faim, mais elle se laissa faire. Et finalement ce court intermède l'apaisa.

Le client texan arriva peu après leur retour. Entre deux âges, grand et élancé, très blond, il était plutôt sympathique mais parlait d'une voix si traînante que Cat avait envie de finir ses phrases pour lui.

Il acheta des bagues et un collier que Cat avait laissés en dépôt chez les Gerish et insista pour emporter les deux bracelets primés.

— Le serpent irait à ravir à ma fille, dit-il en exhibant sa photo.

— C'est vrai, reconnut Cat. Mais je ne suis pas encore décidée à le vendre.

— Je me contenterai du bracelet d'homme, dans ce cas.

Il en était encore moins question. Elle l'avait fait en pensant à Adam ; lui seul le porterait. Et si les choses ne s'arrangeaient pas entre eux, elle le garderait, tout simplement !

Après une longue discussion, Cat finit par accepter de céder le bracelet de femme.

Quand ce généreux acheteur s'en alla, Cat, livrée à elle-même, put enfin examiner à loisir la totalité des bijoux exposés. Et au détour d'une colonne, elle resta clouée sur place. Là, sous ses yeux, il y avait un collier magnifique. La parure était signée Adam Silversinger et avait reçu le premier prix, plus une mention spéciale du jury !

Perdue dans ses souvenirs, Cat contemplait ce chef-d'œuvre sans se lasser. De sorte qu'elle n'entendit pas approcher un jeune couple ; cependant, une phrase de la jeune femme capta brusquement son attention.

— Je n'arrive pas à comprendre, disait-elle, comment il a pu réaliser un travail pareil avec les mains qu'il a.

— Moi non plus, acquiesça son compagnon. Quelle tragédie ! Si j'ai bien compris ce qu'a raconté Joseph, il n'en a plus qu'une qui fonctionne à peu près normalement.

Prise de vertige et de nausée, Cat avait en même temps envie de hurler, de crier sa rage contre cet homme entêté qui laissait son état empirer sans rien faire ! Etait-ce par incapacité d'écrire qu'il ne lui avait pas répondu ?

C'est alors que Joseph, accompagné de Lee, revint au magasin et se précipita vers elle.

L'air rajeuni et heureux, Lee la félicita chaleureusement mais Cat ne songeait qu'à la souffrance endurée par l'homme qu'elle aimait.

— Les mains d'Adam, lança-t-elle tout de go, je viens d'entendre...

— Je voulais vous en parler, répondit Joseph. Mais vous aviez disparu ce matin ; je vous ai cherchée...

— Comment va-t-il ? l'interrompit Cat.

— Eh bien... intervint Lee avec quelque hésitation, la plus atteinte se rétablit convenablement. Mais la droite...

Cat ne comprenait pas très bien. Les mots résonnaient dans ses oreilles mais elle ne saisissait pas réellement leur sens.

— En fait, reprit Joseph, il y a eu infection après la seconde opération.

— Quelle opération ?

— Juste après votre départ, il s'est décidé à entrer à l'hôpital. Malheureusement, l'intervention ne s'est pas déroulée exactement comme il aurait fallu. De sorte que sa main droite est en piteux état. Il s'en sert mais difficilement. La mobilité des doigts est limitée. Il ne peut plus tenir de très petites pierres, ni travailler avec la même précision.

— Mon Dieu ! Et on ne peut plus rien faire ? insista-t-elle, le visage ruisselant de larmes.

— On ne sait pas. Vous le connaissez. Il ne se plaint pas et ne donne aucune explication.

Ils emmenèrent Cat loin des curieux, à l'ombre d'arcades, dans un endroit où ils pourraient parler plus tranquillement.

Cat s'essuya les yeux, et essaya de reprendre ses esprits. Mais elle se sentait désespérée. Elle avait jugé et critiqué Adam, l'avait traité de lâche ! Et, à cause d'elle, il s'était fait opérer. Et maintenant il avait perdu l'usage de sa main droite.

— C'est ma faute, murmura-t-elle.

— Ne soyez pas ridicule ! protesta Joseph. Ce n'est pas vous qui l'avez retenu d'aller voir Wayne Yazzie quand l'infection s'est déclarée. Ce n'est pas non plus vous qui avez empêché les antibiotiques de produire l'effet escompté. C'est une affaire entre Adam et les dieux. Vous n'avez rien à voir là-dedans. Bien sûr, il a réalisé ce collier avec une lenteur inhabituelle mais il y a mis toute son âme et cela se voit ! C'est pour cette raison que ce bijou est un chef-d'œuvre. Il vous aime, Catriona. Une part de lui s'en est allée avec vous et il a exprimé son chagrin en fabriquant cet objet. Le seul mal que vous lui ayez causé fut de le quitter. Mais vous pouvez tout effacer en retournant près de lui.

— Vous croyez qu'il veut encore de moi ?

— J'en suis convaincu !

La jeune femme n'hésita pas un seul instant. En une demi-heure, elle était prête à partir pour Peshlakai. Au cours des dernières heures, elle avait éprouvé tant d'émotions qu'elle était épuisée ; mais une certitude s'imposait : Adam l'avait aimée et s'il restait la moindre trace de cet amour, elle tenterait l'impossible pour le raviver. Dût-elle en perdre la raison !

Chapitre 14

POUR ARRIVER PLUS VITE, LA JEUNE FEMME AVAIT loué un petit avion. Mais le voyage, tout bref qu'il soit, lui parut interminable. L'image d'Adam ne la quittait pas. Aussi fut-elle extrêmement soulagée quand l'appareil se posa sur le plateau de Peshlakai. Elle n'y décela aucun signe de vie, mais peut-être Adam l'observait-il, caché derrière une fenêtre ? Comment allait-il la recevoir ?

Parvenue à l'école, Cat poussa timidement la porte ; elle n'avait encore rencontré ni aperçu personne. La salle commune était vide et la cuisine silencieuse. Maria, Ben et Adam étaient-ils allés à une fête ?

Après quelque hésitation, elle suivit le couloir menant à son ancienne chambre. Adam y dormait-il toujours ? Y avait-il installé quelqu'un d'autre ?

Non sans un serrement de cœur, elle entra dans la pièce. Rien n'avait changé. Si ce n'est que le lit était défait, le matelas roulé et recouvert d'un vieux drap déchiré.

Elle posa ses valises et alla explorer le reste de la maison.

Enfin, en approchant de l'atelier, elle perçut un léger bruit. Adam ? Ben ?

Avant de s'y aventurer elle tenta, sans grand succès, de calmer les battements désordonnés de son cœur et poussa la porte.

Seul Ben était dans la salle, penché sur son établi, comme la première fois qu'elle l'avait rencontré.

— Je me suis fait du souci pour vous, déclara-t-il. Je pensais que vous reviendriez plus tôt.

Brusquement intimidée, Cat ne savait que dire ni que faire. Elle était persuadée qu'étant donné sa vue défaillante il la confondait avec quelqu'un d'autre.

— C'est moi, Ben. Cat, hasarda-t-elle enfin.

— Je sais bien. Je connais votre pas et je le guette depuis très longtemps. Venez voir ce que je suis en train de faire.

Une fois de plus, Cat s'émerveilla des splendeurs que cet homme diminué physiquement était capable de créer.

— C'est votre plus beau bijou, Ben !

— Merci, répondit-il en rougissant imperceptiblement.

— Comment va Silversinger ? reprit-elle abruptement.

146

— Plus mal encore qu'après la mort de Teresa ! A croire qu'il y a eu un autre deuil dans la maison, affirma-t-il en effleurant le talisman qui pendait à sa ceinture.

— Où est-il ?

— Peut-être là où je l'emmenais quand il était enfant : à White Ruins Canyon ou près de l'arbre de l'éternité ? Qui sait ?

— Merci, Ben.

Avant de partir à sa recherche, Cat prit le temps de s'installer et de se changer.

Elle fit le lit, vida ses valises et apporta un soin tout particulier à sa tenue. Elle se brossa vigoureusement les cheveux, se mit du parfum, et se para des bijoux que lui avait envoyés Adam. Brûlant de le retrouver, elle se demandait avec anxiété comment il l'accueillerait. La prendrait-il dans ses bras ou refuserait-il de la regarder, de lui parler ?

Quoi qu'il arrive, elle lutterait pour son bonheur et ne renoncerait que lorsqu'elle aurait acquis la certitude absolue qu'il ne l'aimait plus.

Dieu fasse qu'il veuille encore de moi, supplia-t-elle en joignant les mains. Soudain, elle hésitait, elle avait peur de découvrir une vérité trop insupportable à admettre. Mais à quoi bon réfléchir dans le vide ? Il était temps de savoir. Tergiverser n'était pas la solution.

Résolument, elle prit une grande cape de

147

drap bleu marine pour se protéger de la fraîcheur de la nuit et s'en alla.

Dès qu'elle fut en vue des rochers qui dissimulaient l'arbre de l'éternité, elle aperçut Adam. Torse nu, assis sur une large pierre, il fixait l'horizon.

L'entendait-il s'approcher ? Rien ne l'indiquait ; il ne bougeait pas d'un pouce.

Mais lorsqu'elle fut tout près de lui, il ramassa un caillou qu'il jeta au loin. Il aurait probablement prêté plus d'attention à un oiseau !

Sa colère aurait moins désarmé Cat que cette indifférence. Sans oser le moindre geste, elle le regardait fixement. Il avait changé. Les rides de son front s'étaient un peu creusées. Ses cheveux étaient plus longs, il avait maigri.

Cat mourait d'envie de s'agenouiller devant lui, de lui prendre la tête à deux mains, de lui caresser le visage. Elle avait besoin de sentir sa chaleur, ses doigts sur sa peau, ses lèvres sur sa bouche, sur son cou, sur ses épaules.

Mais céder à ses désirs n'était certainement pas la chose à faire. Elle attendit en silence.

— Qu'êtes-vous venue faire ici ? demanda-t-il enfin, presque méchamment.

Cat s'assit auprès de lui.

— Comment allez-vous, Adam ?

148

Il ne répondit pas.

Avait-il seulement remarqué qu'elle portait son collier et sa ceinture ?

La présence de cet homme qu'elle avait tant souhaité revoir troublait Cat jusqu'au plus profond d'elle-même. Le souvenir de leurs étreintes passées lui tournait la tête. Que ne pouvait-elle se jeter à son cou, le couvrir de baisers, l'aimer à sa guise ?

Incapable de résister plus longtemps, la jeune femme se pencha légèrement vers lui. Mais il s'écarta brusquement, comme s'il s'était brûlé, et se leva. Cependant, Cat lut dans son regard un désir aussi violent que le sien. Elle se leva, elle aussi.

— Qu'êtes-vous venue faire ici ? répéta-t-il.

Pour la première fois, et pour un bref instant seulement, ses yeux se posèrent sur elle.

— Je sais que vous ne m'avez pas trouvé de remplaçante. Je suis là pour vous offrir mes services.

Comme mû par un ressort, il la saisit par les bras et avec une sorte de grognement désespéré, il répliqua :

— On ne veut pas de vous ici. Allez-vous-en !

— Auriez-vous peur de moi, Silversinger ? demanda-t-elle doucement.

Les bras d'Adam se refermèrent sur elle et il s'empara de ses lèvres comme un affamé.

— Ainsi donc, vous vouliez me revoir ?

Avant que Cat, étourdie et haletante, n'ait trouvé les mots pour répondre, il l'embrassait de nouveau, dénudait ses épaules puis sa gorge pour parcourir sa peau soyeuse de caresses affolantes. La jeune femme frissonnait de plaisir, grisée par la violence, la passion de son étreinte.

Brusquement, il la prit dans ses bras, la souleva de terre, puis la fit s'allonger à ses côtés. Alors il se mit à défaire ses vêtements avec une hâte presque inquiétante. Dans cette fougue passionnée, elle ne percevait aucune tendresse, aucun amour.

Ces lèvres qui la dévoraient, ces mains qui jouaient de la sensualité comme d'un instrument bien connu n'étaient mues que par la colère.

Effrayée, elle tenta de le repousser, de l'écarter ; il était trop fort, trop lourd ! Les coups ne servaient qu'à lui faire resserrer son étreinte, qu'à redoubler son agressivité.

Soudain, Adam prit conscience du changement d'attitude de sa compagne, il tenta de réveiller son désir. En vain.

Mais pourquoi insistait-il puisqu'elle était désormais insensible ? Par haine ? Par vengeance ?

Désespérée, assistant passivement à la dégradation de tous ses rêves, elle ne cherchait pas à retenir les larmes qui lui inondaient le visage.

Déconcerté, Adam releva la tête et posa sur elle un regard plein de convoitise et de colère. Etait-ce une illusion ou sous cette fureur y avait-il un chagrin aussi profond que celui de la jeune femme ?

— Que vous arrive-t-il, Cat ?

Le ton était mordant mais l'expression dépourvue de toute ironie.

En guise de réponse, elle laissa échapper un sanglot. Puis rajusta ses vêtements et se mit à marcher en titubant pour s'éloigner de lui.

Adam la rattrapa et lui fit faire volte-face, le regard aussi déchirant qu'un cri de douleur. Il la serra si fort contre lui qu'elle eut l'impression qu'il allait la broyer. Haletant, il l'embrassait avec une rage que rien ne semblait pouvoir arrêter. Et pourtant, tout à coup, il la repoussa.

— Je ne sais pas quoi dire, marmonna-t-il. Je ne comprends pas. Au moins, expliquez-moi ce que vous faites ici si vous ne voulez plus de moi.

— Mais Adam, je voulais désespérément vous revoir. Pas de cette manière, pourtant. Je voulais votre amour, votre tendresse, je voulais partager avec vous mes pensées et ma vie. Un simple moment de passion effrénée ne me suffit pas. En plus, je ne savais pas que vous me haïssiez...

Sans qu'il s'y opposât, elle lui prit les mains, en examina les cicatrices et fut surprise de ne constater aucun dommage apparent.

— Je vous aime, Adam. Et je crois que je vous aimerai toujours.

Il allait répondre, mais d'un doigt elle lui ferma la bouche.

— Non, ne dites rien. C'est inutile. Je suis venue ici pour être avec vous, travailler à vos côtés, dormir avec vous. J'imaginais que nous avions besoin l'un de l'autre. Mais je me suis trompée. Je ne peux pas passer mon existence avec un homme qui me hait.

Elle l'embrassa tendrement sur le front et se sauva en courant.

Elle n'alla pas bien loin. Adam fondit sur elle et l'enlaça fougueusement.

— Oh! Cat, gémit-il, je ne veux pas vous perdre: Pas deux fois. Je vous aime! Ne me quittez pas. Ne me quittez plus jamais!

Le cœur de Cat bondit dans sa poitrine; un sourire éclaira son visage et elle lui passa les bras autour du cou.

Ils savourèrent l'intensité de leurs retrouvailles pendant de longues minutes silencieuses. A présent, chacun était sûr des sentiments de l'autre, la confiance était revenue. De nouveau, ils pouvaient parler ensemble, échanger des idées, se poser des questions. Plus jamais, de stupides malentendus dictés par l'orgueil ne viendraient s'insinuer entre eux.

— Pourquoi n'avoir pas répondu à ma lettre, Adam ?

— Je sortais de l'hôpital. Mes mains étaient immobilisées par d'épouvantables pansements.

Ses mains ! La jeune femme sentit son front se couvrir de sueur. Dans quel état étaient-elles vraiment ? Sans un mot, elle s'en empara et les déplia délicatement. Leur mobilité semblait parfaite.

— Elles sont guéries, murmura Adam. J'ai eu très peur mais elles sont guéries.

Plus rien ne s'opposait désormais à leur bonheur. Cat leva vers lui un visage radieux et lut dans son regard qu'il partageait pleinement sa joie !

— Petite fée, voulez-vous devenir ma femme ?

— Oui, Adam, répondit-elle solennellement.

Alors, un élan déraisonnable de passion les emporta. Ils s'embrassèrent à en perdre le souffle, leurs corps se retrouvèrent en frémissant d'émotion.

Ils s'unirent sous les feux du couchant et connurent tous les plaisirs que l'amour peut susciter. Quand l'extase culmina en eux, un long tressaillement les traversa, ils retombèrent échoués dans les bras l'un de l'autre en se jurant une fidélité éternelle.

A cet instant, comme si la nature avait correspondu avec eux pour sceller leur bonheur, l'astre flamboyant bascula derrière les montagnes.

Ce livre de la *Série Coup de foudre* vous a plu. Découvrez les autres séries Duo qui vous enchanteront.

Romance, c'est la série tendre, la série du rêve et du merveilleux. C'est l'émotion, les paysages magnifiques, les sentiments troublants. *Romance*, c'est un moment de bonheur.

Série Romance : 2 nouveaux titres par mois.

Désir, la série haute passion, vous propose l'histoire d'une rencontre extraordinaire entre deux êtres brûlants d'amour et de sensualité. *Désir* vous fait vivre l'inoubliable.

Série Désir : 4 nouveaux titres par mois.

Harmonie vous entraîne dans les tourbillons d'une aventure pleine de péripéties. *Harmonie*, ce sont 224 pages de surprises et d'amour, pour faire durer votre plaisir.

Série Harmonie : 4 nouveaux titres par mois.

Amour vous raconte le destin de couples exceptionnels, unis par un amour profond et déchirés par de soudaines tempêtes. *Amour* vous passionnera, *Amour* vous étonnera.

Série Amour : 2 nouveaux titres par mois.

Pays lointains est une série qui vous emportera vers des horizons inconnus, au fil d'une histoire d'amour palpitante vécue dans des paysages enchanteurs. *Pays lointains*, c'est le monde entre vos mains.

Série Pays lointains : 2 nouveaux titres par mois.

Série Coup de foudre : 4 nouveaux titres par mois.

Duo Série Coup de foudre n° 21

ELLIE WINSLOW

L'amour, le soleil et la mer

Allongée sur le pont du bateau sous le soleil doré de Grèce, bercée par le doux mouvement de l'eau, Lydia Denton s'interroge : a-t-elle bien fait d'accepter ces quelques jours de croisière dans les îles avec Nick Aristou ?

Car cet homme qui l'a séduite tout de suite par son charme insolent est aussi son nouveau patron. Lydia n'est peut-être qu'un jouet entre ses mains...

Mais un jouet fasciné par le regard insondable de ses yeux profonds comme la mer d'améthyste qui miroite à l'infini...

Série Coup de foudre

Duo Série Coup de foudre n° 23

KATHRYN KENT

Précieux instants

Pour l'aider dans l'évaluation d'un fonds important de pièces anciennes, l'antiquaire Sabrina Whitfield fait appel à un cabinet d'experts de grande renommée.

De son premier entretien avec Ralph Sandrom, le directeur, elle garde l'impression d'un homme séduisant, hautain et fort arrogant. Qu'importe! Ce n'est pas lui qui l'accompagnera dans l'île où l'attend sa cliente.

Du moins le pensait-elle jusqu'au moment où elle le voit arriver, sûr de lui et débordant d'un charme inattendu. Sabrina se prépare à l'affrontement. Mais elle découvre très vite qu'au jeu de la séduction Ralph est aussi un redoutable expert.

Série Coup de foudre

Duo Série Coup de foudre n° 24

ELIZABETH ALLISON

A la recherche du rêve

Patricia Edwards s'était juré de ne jamais céder
à l'amour. Sa carrière de danseuse passe avant tout.
Elle a du talent, de l'ambition et veut créer sa propre
compagnie. Mais Jeffrey Northrop est si beau,
si séduisant, si tendre...

Comment résister à la passion qui les unit ?
Il est riche, prêt à l'aider et à l'aimer. Envoûtée,
la jeune femme succombe à son charme et découvre
le sens du bonheur.

Et c'est le choc. Un jour, elle surprend Jeffrey
au bras de Margo, la belle rivale de toujours.
Comment expliquer cette trahison ? Désespérée,
Patricia ne sait plus que croire...

Série Coup de foudre

Achevé d'imprimer sur les presses de l'Imprimerie Bussière
à Saint-Amand-Montrond (Cher)
le 27 septembre 1985. ISBN : 2-277-82022-9.
Nº 2328. Dépôt légal : octobre 1985. Imprimé en France

Collections Duo
27, rue Cassette   75006 Paris
diffusion France et étranger : Flammarion

Coup de foudre